KU-485-004

LES GISCARDIENS

Bernard Lecomte
et Christian Sauvage

Les Giscardiens

Albin Michel

22, rue Huyghens 75014 Paris

ISBN 2-226-00590-0

Sommaire

Avertissement

Dans la multitude des livres politiques récemment publiés, aucun ne concerne les *giscardiens*. L'explication en est simple : la victoire de Valéry Giscard d'Estaing est encore trop proche, et elle est davantage le fait d'un homme que d'un parti. A l'époque de la campagne présidentielle, le parti giscardien — ses responsables sont les premiers à le dire — n'existe guère. Aujourd'hui, ce n'est plus vrai, les *giscardiens* existent. Il est temps de révéler, à la veille d'une échéance électorale aussi importante que celle de mars 1978, qui sont ces hommes et ces femmes qui composent, depuis l'origine ou depuis peu de temps, le noyau dur du giscardisme.

Comment les présenter ? La formule inventée par Pierre Viansson-Ponté et reprise par Thierry Pfister, respectivement pour *Les Gaullistes* puis pour *Les Socialistes* nous a paru la meilleure. S'inspirer de tels exemples, en outre, est plutôt stimulant.

Les auteurs de ce livre ne sont pas d'accord sur tout, moins encore lorsqu'il est question de politique. Mais leurs options, pour différentes qu'elles soient, ne les ont pas empêchés d'entreprendre ensemble ce voyage en pays giscardien.

Tous les giscardiens ne figurent pas dans cette galerie de portraits. Mais qui va au Louvre ne prétend pas jeter un œil à tous les chefs-d'œuvre qu'il renferme. L'amateur y trouvera toutefois les principaux maîtres et leurs disciples. La promenade fut plaisante aux auteurs, aussi tiennent-ils à remercier ici leurs guides, célèbres ou inconnus [1].

Amis lecteurs, la visite commence...

B.L. et C.S.

1. Pas de noms, pas de jaloux. A une exception près : merci à Geneviève Dalbard, responsable de la documentation du parti républicain, qui sut répondre avec patience aux questions les plus saugrenues...

Chronologie

Novembre 1962	Création d'un groupe parlementaire R.I. avec 31 députés.
Juin 1965	Création du premier club Perspectives et Réalités à Paris.
8 janvier 1966	Départ de Giscard du Gouvernement.
1er juin 1966	Création de la F.N.R.I.
10 janvier 1967	Giscard explique son attitude politique par le « Oui, mais... »
Mars 1967	Législatives : élection de 42 députés R.I.
Avril 1967	Giscard est élu président de la Commission des Finances à l'Assemblée nationale.
Août 1967	Giscard critique l'« exercice solitaire du pouvoir ».
Juin 1968	Législatives : élection de 61 députés R.I.

14 avril 1969	Giscard se prononce pour le «non» au référendum. Crise chez les R.I.
Mai 1969	Les R.I. prennent position pour Georges Pompidou aux présidentielles.
22 juin 1969	Giscard redevient ministre des Finances.
Décembre 1969	Séminaire «non stop» de Courbevoie.
Novembre 1970	Rapprochement C.N.I.-R.I. en vue des municipales de 1971.
9-10 octobre 1971	Congrès des R.I. à Toulouse: Giscard annonce qu'il ne parlera plus pendant un an.
8 octobre 1972	Discours de Giscard à Charenton: «La France doit être gouvernée au centre.»
Mars 1973	Législatives: élection de 54 députés R.I.
Juin 1973	Journées de Vincennes «A la rencontre de la France.»
8 avril 1974	Giscard annonce de Chamalières sa candidature aux présidentielles.
19 mai 1974	Giscard est élu avec 50,81 % des suffrages.
15 juin 1974	Création de G.S.L., mouvement des Jeunes Giscardiens.

31 janvier 1975	Congrès de Paris : Michel Poniatowski est élu président des R.I.
Juillet 1975	Réinstallation des R.I. rue de la Bienfaisance.
19 juin 1976	Convention nationale du Champ-de-Mars.
21 mai 1977	Création du parti républicain à Fréjus.
Novembre 1977	Création d'« Autrement », nouveau mouvement des Jeunes Giscardiens.

PREMIÈRE PARTIE

Giscard et les siens

UN HOMME EN SA LÉGENDE

Une ère nouvelle

« De ce jour date une ère nouvelle. » La voix blanche et l'air grave, Valéry Giscard d'Estaing devient, en ce 27 mai 1974, le vingtième président de la République française. Dans la salle des fêtes de l'Élysée, toute en tentures et en dorures, trois cents privilégiés se sont figés lorsque le président du Conseil constitutionnel s'est avancé, un coffret à la main. A l'intérieur, les résultats officiels de l'élection présidentielle, que Roger Frey dépose entre les mains du nouveau maître de ces lieux.

A côté des ministres, des hauts fonctionnaires, les photographes mitraillent une classe d'écoliers de Courbevoie, en chaussettes blanches et blazers bleus et, dans les jardins voisins, les troupes du 2e dragons, le régiment de V.G.E. : deux présences qui témoignent du « changement » dont Giscard s'est fait le champion tout au long de sa campagne électorale. Un nouveau style !

Mais l'homme qui vient d'être ainsi sacré par le suffrage universel semble avoir perdu son aisance. Les responsabilités qu'il endosse aujourd'hui, responsabilités recherchées depuis si longtemps, pèsent déjà sur ses épaules. L'homme paraît moins assuré, plus solennel. Avant d'évoquer le « vertige de la page blanche », il a cherché le regard de ses fils présents dans l'assistance.

Dehors, le soleil brille ; le nouveau président retrouve la décontraction et l'assurance du candidat pour remonter les Champs-Élysées. A pied. De part et d'autre de l'avenue fameuse, une foule presque en vacances l'acclame. Les slogans de la campagne résonnent une dernière fois. Giscard a retrouvé les siens. Les giscardiens.

L'héritier

Que de fées se sont penchées le 2 février 1926 sur un berceau de Coblence ! Valéry Giscard d'Estaing, dès sa naissance, dispose de beaucoup d'atouts : le nom, la richesse, l'intelligence — tout l'attend. Mais il y a aussi ce petit quelque chose qui le fera ne pas se contenter de cela, quelque chose qui a nom ambition. Valéry Giscard d'Estaing héritera quasiment d'un destin. C'est à qui l'a entendu dire le premier : « Je serai président de la République. »

La légende a ceci de commun avec le baroque qu'elle tue le sujet sous les ornements.

S'appeler Giscard d'Estaing et non Pompidou ou

Mitterrand n'est pas sans conséquences. Le milieu dans lequel a évolué, et évolue, le président est un milieu plus aristocratique que populaire. Mais ses relations avec la noblesse ne sont pas simples. D'un côté on reproche à Giscard de ne pas être vraiment « d'Estaing »; de l'autre le président supprime des cartons officiels les titres nobiliaires. Au-delà des querelles de bottin mondain il y a l'appartenance de Giscard à un milieu qui se tient généralement à l'écart des estrades et des tribunes politiques.

Giscard, lui, ne s'abandonne pas aux châteaux auvergnats, aux réceptions compassées: il entre à Polytechnique, à l'E.N.A. Aux traditions s'ajoute le modernisme; à l'aristocratie de titre, l'aristocratie de l'esprit. Michel Poniatowski, son ami, explique Valéry d'un de ces jugements qui claquent: «Un sentimental redressé par Polytechnique. » Valéry Giscard d'Estaing oubliera vite Flaubert et Maupassant pour les chiffres, les tableaux et les courbes.

Marié à Anne-Aymone de Brantes, petite-fille du baron Schneider, le maître de forges, Valéry Giscard d'Estaing est fin prêt. Il lui reste à hériter du siège de député de son grand-père Jacques Bardoux dans le Puy-de-Dôme. Encore lui faut-il se battre pour cela.

Personnage à double face, Giscard s'est réclamé, comme d'autres hommes politiques français, mais avec peut-être plus de raisons, de John Kennedy. Si l'on veut bien admettre que rien n'est vraiment comparable, alors, oui, il y a du Kennedy chez Giscard.

Les États-Unis et la France ne forment pas leurs

futurs chefs de la même manière, mais les destins de ces jeunes dirigeants ne sont pas sans similitude. Tous deux sont faits pour le pouvoir. Ils le savent, ils s'y préparent, et ils y parviennent.

Certains l'appellent Valy

Personne n'a jamais eu envie de taper sur le ventre de Valéry Giscard d'Estaing. L'homme crée la distance naturellement. Froideur, timidité, réserve ? Il faudrait remonter loin dans sa jeunesse ou son éducation pour le savoir.

De là à en faire un monstre froid, un calculateur désincarné, il y a un pas à ne pas franchir. « Vous n'avez pas le monopole du cœur », opposait-il à François Mitterrand lors du face à face télévisé des présidentielles, avec beaucoup d'intelligence et un accent de vérité.

Giscard a des amis, une famille. Anne-Aymone, son épouse, les Français l'ont découverte pendant la campagne. La présidente, élégante et élancée, paraît parfois depuis sur les petits écrans, adressant ses vœux aux Français, inaugurant une crèche ou une fondation portant son nom. Mais, derrière ce rôle de représentante de la mode française et de grande dame de charité, il y a aussi une femme, une épouse. Une des rares personnes qui puisse dire au président que sa dernière intervention télévisée n'était pas bonne. Une femme qui a participé, dès janvier 1969, à un petit groupe de travail qui se réunissait régulièrement rue de Bénouville pour préparer ce que serait la campagne à venir.

Puisqu'il s'agissait, en 1974, d'une campagne à l'américaine, les enfants de Valéry Giscard d'Estaing se devaient de paraître sur les photos des magazines et au pied des tribunes. Valéry-Anne, Henri et, à un degré moindre, Louis-Joachim et Jacinthe, ont fait plus. Ils ont porté, avec amusement, le fameux tee-shirt « Giscard à la barre ». Depuis Valérie-Anne a fréquenté (un peu) les cabinets ministériels et Henri s'est occupé (beaucoup) des mouvements de Jeunes Giscardiens. On dirait même qu'il a sérieusement pris goût à l'action politique.

A côté de la famille, il y a les amis. Les amis privés et les amis publics. Des amis privés du président on ne sait que très peu de chose – il veut pouvoir ne pas mélanger ses fonctions et sa vie –, tout juste voit-on apparaître furtivement de-ci, de-là, un Henri de Clermont-Tonnerre qui accepte des fonctions de trésorier du parti républicain.

Brain-storming et vieilles dorures

Valéry Giscard d'Estaing n'est pas indifférent au protocole. Cela ne l'empêche pas de l'épousseter un peu. Le vingtième président de la République française aime les décors classiques et le mobilier de style, mais il vit aussi avec son siècle : le téléphone, avec lui, a pris droit de cité à l'Élysée. Les chroniqueurs n'en sont pas encore revenus. A croire que ses prédécesseurs travaillaient aux chandelles et à la plume d'oie !

Ainsi relié en permanence à l'extérieur, l'Élysée est le cadre de nombreuses rencontres, improvisées ou non, selon un rituel peu changeant :

– Il est 18 heures à la petite pendule de son grand-père Bardoux, et Valéry Giscard d'Estaing éprouve l'envie de s'entretenir avec Claude Pierre-Brossolette, Maurice Dalinval ou Jacques Hintzy. Mme Villetelle, sa secrétaire, est priée de convoquer la personne concernée pour 19 h 30. Le téléphone sonne chez l'ami que Giscard n'a pas vu depuis des mois, voire des années. A l'heure dite, les deux hommes devisent tranquillement dans le bureau présidentiel si étrangement calme, comme l'est presque tout le palais de l'Élysée : si loin du bruit de Paris et de la ville que l'on y éprouve vite la sensation physique d'être coupé du monde. Georges Pompidou l'appelait sa « prison dorée », Valéry Giscard d'Estaing a ressenti très vite le même sentiment de solitude et, depuis deux ans, il s'efforce de recevoir beaucoup de monde pour ne pas perdre pied avec la réalité extérieure.

– Bernard Vernier-Palliez, dans son bureau de patron de la Régie Renault, n'a pas vu le président depuis quelques mois. Il appelle Jean François-Poncet pour demander une audience.

Le soir même, à 19 heures, le secrétaire général de l'Élysée, au milieu de vingt autres affaires, soumet au chef de l'État la demande d'audience en précisant : « Il souhaite vous présenter un de ses nouveaux directeurs. » Giscard est d'accord pour un rendez-vous rapproché : cela fait longtemps qu'il n'a pas vu le responsable de la Régie, et il aime qu'on lui présente de nouvelles têtes pour entretenir sa connaissance de l'administration française et de ceux qui la composent ou qui l'encadrent.

– Quinze jours avant Carpentras, Valéry Giscard d'Estaing réunit autour de lui plusieurs de ses collaborateurs pour un brain-storming. « Comment voyez-vous les choses ? » dit-il en scrutant ses invités. Les idées viennent rapidement. Trente minutes, pas plus, car il a horreur de perdre son temps. Chacun repart avec du travail.

– De temps en temps aussi, Giscard dîne avec « Ponia ». Loin des séances officielles, des rumeurs de divergences qui ont suivi le dernier remaniement, il y a deux amis, il y a « Michel » et « Valéry ». Que se disent-ils ? Eux seuls le savent. Tout juste peut-on observer que depuis trente ans qu'ils se connaissent, ils n'ont plus besoin de beaucoup de mots pour se comprendre et que... Michel Poniatowski, curieusement, demeure toujours très timide devant le président. Les rôles ont été répartis bien avant l'élection présidentielle : il y a un numéro un et un numéro deux. Alors l'avenir de la France et la chasse, Talleyrand et Chirac, peuvent venir dans la conversation, sans effort, et sans arrière-pensées.

– Dans un de ces salons design, pop, qu'a légués Georges Pompidou à l'Élysée et à la République, six journalistes attendent le président. Pour un apéritif et pour des informations. A 18 h 30 la longue silhouette entre dans la pièce. Les mémoires s'aiguisent – ici on ne prend pas de notes –, Jean-Philippe Lecat se raidit un peu. Les questions et les réponses fusent. Si Valéry Giscard d'Estaing paraît s'abandonner aux confidences, il ne s'abandonne jamais tout à fait. Et sûrement pas devant des journalistes. Quelque deux heures plus tard, le charme passe. Les verres sont vides et les mémoires pleines à craquer.

— Mercredi matin, le ballet bien connu des voitures officielles fait crisser le gravier de la cour. Un à un, les ministres montent jusqu'à la salle du Conseil. Lorsque le président entre à son tour, ils sont tous là, autour du tapis vert. Il y a aussi Jean François-Poncet, Jean-Philippe Lecat et Marceau Long, le secrétaire général du gouvernement, qui fut de la promotion « Europe » à l'E.N.A., comme Giscard. Lorsque la porte se referme, c'est sur des secrets d'État. Depuis longtemps, bien avant l'Élysée, Giscard a habitué les siens au secret — et gare à ceux qui ne savent s'y tenir.

Comme toujours, Valéry Giscard d'Estaing s'étonne que les conseils des ministres ne soient pas l'occasion d'un travail plus collectif. Mais trop de ministres se sont fait reprendre sèchement pour un chiffre faux, un dossier mal connu ou un raisonnement peu rigoureux, et on hésite maintenant à parler sans réfléchir, dans cette grande cérémonie de la République qu'est devenu, depuis 1958, le Conseil des ministres. Françoise Giroud a avec talent — avec imprudence ? — rendu compte de cette étrangeté dans *La Comédie du pouvoir*.

— Et puis, il y a le rite quasi immuable de la rencontre du roi en son palais avec les siens, les giscardiens. « La plupart d'entre vous connaissent déjà ces lieux ? » interroge, mi-amusé mi-docte, le président. La vingtaine de parlementaires républicains, de membres du bureau politique ou des clubs Perspectives et Réalités bredouillent des réponses indistinctes. Alors, « pour ceux qui viennent pour la première fois», Giscard fait visiter quelques salons du Palais présidentiel après un sonore «Suivez le guide ! ». Le guide prend plaisir à ces évocations historiques pimentées des souvenirs libertins de l'hôtel d'Évreux au temps où la Pompadour habitait là. Mais la politique n'est jamais absente de ces rencontres chaleureuses entre les giscardiens et leur chef. «Soutenez mes réformes» : le couplet revient à chaque fois, devant les jeunes, devant les clubs, un peu plus appuyé devant le bureau politique du parti et très appuyé devant les parlementaires.

Un traitement spécial est bien entendu réservé au patron du parti : Jean-Pierre Soisson voit actuellement le président au moins une fois par mois, en tête à tête.

– Enfin, il y a tous ceux qui voudraient voir le président. Tous ceux qui font comme si. Ce n'est pas un septennat mais dix qu'il faudrait à Valéry Giscard d'Estaing pour recevoir tous ceux qui prétendent le voir régulièrement. L'admiration se nourrit parfois de ces petits mensonges. Que de dîners en ville résonnent de : « Le président pense que... » appuyés d'un regard entendu.

On les dit les meilleurs et les plus intelligents

«N'écrivez pas pour la Conservation des Hypothèques. Je m'adresse aux Français. Essayez de comprendre... je sais que cela vous est difficile.» Le président se fait volontiers ironique avec ses collaborateurs. Ceux-ci ont été choisis par lui, soigneusement, et sélectionnés par les grandes usines de l'esprit que sont l'E.N.A., Polytechnique ou Normale supérieure.

Les belles intelligences couronnées de diplômes séduisent Giscard. Certains veulent assurer leur pouvoir en s'entourant de médiocres dont l'admiration compense le manque d'ambition. Giscard, lui, est toujours à l'affût de la tête d'œuf qui ne déparerait pas son cabinet. Souci de l'émulation, goût de la compétition ? Avec lui, en tout cas, la formule « Qui se ressemble s'assemble » prend toute sa valeur.

Il y a un profil du conseiller giscardien. Ceux qui entourent Chirac sont souvent des bourreaux de travail, des bêtes de trait, des battants et des volontaires ; ceux qui entourent Giscard ont – outre l'intelligence – une certaine décontraction élégante. Chez Giscard, pas de bedaine IVe République, pas de laborieux des dossiers, pas de rats de bibliothèque, pas de professionnels de la politique. Les giscardiens de première ligne que sont les membres de son cabinet, sont souvent jeunes, brillants, à l'aise dans l'existence et terriblement ambitieux. Non seulement ils connaissent Galbraith et Friedmann par cœur, mais ils savent aussi tenir un fusil, se tenir sur des skis ou disputer une régate.

Des technocrates ? Bien sûr, comment dire autrement ? Giscard est énarque et polytechnicien, Cannac énarque, normalien et agrégé d'histoire, Jean François-Poncet énarque et docteur en droit, Jean Serisé, Jean-Daniel Camus et François Polge de Combret énarques, tout comme Jean-Philippe Lecat et Jean Riolacci. Les deux banquiers que sont devenus Jacques Calvet et Claude Pierre-Brossolette, après avoir quitté l'entourage immédiat de Giscard, sont tous deux énarques, le premier venant de la Cour des comptes, l'autre de l'Inspection des finances; le ministre Lionel Stoleru, s'il n'est pas énarque lui-même, est chargé de séminaire à l'E.N.A., ce qui n'est pas mal, même pour un polytechnicien et docteur en économie de Stanford. Ces grands commis de l'État, comme Giscard, sont d'ailleurs souvent attirés par les États-Unis pour y passer un diplôme... ou simplement des vacances.

On peut être énarque et se moquer des énarques : quoi de plus élégant ? Écrire un pamphlet comme Jean-Pierre Chevènement ou asticoter ses collaborateurs comme Giscard. Selon certains de ses proches, il faut l'entendre parler des énarques !

A noter enfin que ces proches collaborateurs ont parfois fréquenté la gauche. Si les anciens socialistes sont rares dans l'appareil du parti républicain, ils le sont beaucoup moins à l'Élysée. Jean Serisé vient du mendésisme et de la S.F.I.O., à laquelle a appartenu aussi Claude Pierre-Brossolette; Jean François-Poncet vient plutôt du centre gauche, et fut même candidat d'opposition aux législatives de 1967 et 1968. Jean Riolacci et Victor Chapot fréquentent le radicalisme par franc-maçonnerie interposée. Quant à Yves Cannac, il vient de chez Chaban, où il figurait en bonne place entre Jacques Delors et Simon Nora. En se mettant au service de Giscard, ont-ils changé? Se sont-ils souciés de leur ambition ou de leur efficacité?

Giscard, machine à inventer, attend d'abord de

ses collaborateurs de l'imagination... « et nous le décevons beaucoup », note l'un d'eux, faussement modeste. Imagination mais non improvisation : si les domaines d'activité des uns et des autres paraissent vastes et semblent se recouper souvent, l'impression disparaît vite à l'usage. Le président porte en effet sur ses collaborateurs un jugement qui montre que chacun a, sinon des tâches, du moins une fonction bien définie.

L'imagination va de pair avec un certain conservatisme au niveau des hommes. Plus précisément, Giscard, toujours à l'affût d'une belle tête bien faite, n'aime pas en changer trop souvent. Car il accorde sa confiance lentement. Et l'honneur qu'il fait en appelant tel ou tel à son service implique en retour qu'il puisse en exiger le maximum, les bonnes manières ne l'empêchant pas d'être impitoyable dans le travail. Simplement, celui qui se sera fait savonner la tête verra, dans les quarante-huit heures, le président faire un geste à son endroit pour indiquer que l'affaire est close.

Certaines têtes nouvelles apparaissent toutefois depuis peu. Des hommes — un plus spécialement — qui n'ont pas le profil. Jean Riolacci n'a rien en effet de ces jeunes messieurs à l'élégance raffinée et au sobre attaché-case. Jean Riolacci est là pour s'occuper d'un domaine précis, un peu délaissé depuis 1974 : la politique politicienne. Truculent, fort en gueule, le savoureux « Rio » détonne dans ce milieu élégant et trop fonctionnel. Peut-être plaît-il au président pour cela ? Lui seul peut se permettre d'arriver en retard à une réunion et s'y manifester sans discrétion.

La France au fond des yeux

A l'école du général de Gaulle et de l'Amérique, Valéry Giscard d'Estaing a appris l'importance de la télévision. S'il n'est pas un téléspectateur très attentif, le président est un habitué du petit écran. Il y excelle. A sa façon c'est même un champion toutes catégories, qui réussit aussi bien un face à face qu'une table ronde, un « coin du feu » qu'une interview classique. Mais son registre personnel est moins étendu. Habitué à travailler dans la technique ou dans la semi-confidence, il n'est pas à l'aise lorsque la situation impose la gravité. D'un certain côté, il arrive à Valéry Giscard d'Estaing ce qui est arrivé à certains acteurs : comme Alice Sapritch ou Jean-Claude Drouot, il s'est laissé enfermer dans son personnage initial, celui qui lui a valu ses premiers succès.

Mais quel acteur ! Doté du professionnalisme d'un Montand et de la félinité d'un Delon, il est le premier véritable homme politique de l'ère télévisuelle. De Gaulle, qui fut un pionnier génial, préférait, lorsque la situation l'exigeait, se replier sur la radio. Valéry Giscard d'Estaing, lui, joue en permanence de la télévision pour tenter d'établir un lien direct avec les Français. « Je voudrais regarder la France au fond des yeux, lui dire mon message et écouter le sien », disait-il, le 8 avril 1974, en annonçant sa candidature aux élections présidentielles depuis la mairie de Chamalières, devant une gerbe de micros et de caméras.

Soucieux du détail, Valéry Giscard d'Estaing sait ajouter ici un bouquet, là un tableau chiffré. Il est toujours son propre metteur en scène. Comme les autres hommes politiques français, pour en arriver à cette maîtrise, il a beaucoup travaillé dans son bureau du ministère de l'Économie et des Finances. Avec un soupçon de technique et une grande habileté dans l'utilisation des chiffres, Valéry Giscard d'Estaing provoque chez le téléspectateur le plus beau compliment : « il rend, dit-on, intelligent ».

Peu à peu, le président a renoncé aux grandes conférences de presse que goûtaient ses prédécesseurs. Rebaptisé « réunion » de presse, ce type de cérémonie n'a jamais réellement convenu au style giscardien. Le président pense sans doute que son message se dilue et il préfère les « conférences de presse télévisées » où les journalistes sont remplacés éventuellement par des jeunes, des femmes, quand ce n'est pas par un échantillon de la France tout entière.

L'État gadget

Dans le musée giscardien on trouvera sûrement un pull-over, un accordéon et quelques autres accessoires qui ont servi à Valéry Giscard d'Estaing. Ce n'est pas de sa faute s'il travaille en pull-over, s'il a appris l'accordéon à l'armée; mais voilà, tout le monde le sait aujourd'hui.

Giscard n'est pas seulement son propre metteur en scène à la télévision, il est aussi son propre conseiller en relations publiques. De l'automarketing politique en quelque sorte.

Mais la nouveauté intrigue, inquiète. C'est ainsi que l'on a pu parler de « gadgets » à propos d'initiatives qui relèvent davantage de la technique publicitaire que de l'action politique.

De Gaulle, c'était le verbe plus le geste ; Pompidou les petites phrases ; Giscard, c'est le « truc ». Au début de son septennat le président a multiplié les surprises. Mais le geste calculé cachait parfois une bonne volonté un peu naïve. Habituer les Français à ne plus considérer le président de la République comme leur père, quand ce n'est pas Dieu le père, est plutôt sain. Désacraliser le pouvoir quand craquent tous les tabous, pourquoi pas ?

Certains de ces gestes symboliques allaient cependant plus loin qu'il n'y paraissait à première vue. Après la suppression de la commémoration du 8 mai, on a vu les anciens combattants constituer l'avant-garde de tous ces mécontents qui, après les débats parlementaires sur l'avortement, l'abaissement de l'âge électoral, la poignée de main aux détenus, ou la taxation des plus-values, ont commencé à dire : « Si on avait su... » Du gadget on glisse vite aux problèmes de fond. Le seul défaut du style Giscard aura peut-être été, pendant le premier tiers de son septennat, de mêler l'accessoire à l'essentiel.

Carnet d'adresses

Pas de Colombey-les-Deux-Églises, pas de Cajarc, pas de Latché dans la légende giscardienne. Les lieux ont aussi leur importance, mais pas la même signification.

Il y a d'abord les lieux privés qui ne sont pas mêlés à la politique sauf lorsque l'homme politique invité est un ami. Authon, dans le Loir-et-Cher, appartient à Anne-Aymone Giscard d'Estaing. Proche du domaine de Chambord, le château de l'Étoile est consacré aux week-ends familiaux. Chanonat en Auvergne, près de Clermont-Ferrand, appartient aux parents de Valéry Giscard d'Estaing. Cette grande bâtisse austère correspond mieux à l'été qu'Authon, plus proche de Paris. Et puis, avec l'Auvergne, Giscard retrouve aussi ses souvenirs d'enfance.

Authon et Chanonat ne sont pas des lieux de réunions d'état-major, de colloques politiques. Mais le président ne peut se défaire de ses dossiers et il y part souvent avec un discours à écrire, une allocution télévisée à préparer, ou... le dernier livre d'Alain Peyrefitte.

Brégançon, lieu de vacances des présidents de la République n'a pas, aux yeux de Valéry Giscard d'Estaing, les charmes que lui trouvait Georges Pompidou. Maison de fonction, le vieux fort recèle maintenant ses confidences politiques. C'est à Brégançon que la brouille Giscard-Chirac a éclaté, sinon au grand jour, du moins au grand air de la Côte d'Azur.

11, rue de Bénouville : l'appartement de Valéry Giscard d'Estaing a été le lieu de nombreuses réunions avec ses lieutenants. Il y a d'abord le petit bureau à l'entresol – une ancienne lingerie – avec ses placards blancs et son grand fauteuil de velours vert. Sous le portrait de Jacinthe, la plus jeune des deux filles du président, d'importantes et nombreuses décisions ont été mûries, pesées ou discutées ici. Lorsque le nombre des invités ne permettait pas de se tenir dans le bureau, les réunions se tenaient dans le salon, une grande pièce tapissée de rouge, assez sombre malgré les hautes fenêtres. Maintenant, ces réunions, lorsqu'elles ont lieu, se tiennent tout naturellement à l'Élysée.

Dernier haut lieu giscardien – poniatowskien pour être plus exact : Le Rouret. Autour d'une très jolie piscine en forme de L, le maître de céans, Michel Poniatowski, abandonne parfois ses rosiers pour parler politique avec les leaders du mouvement giscardien. En peignoir de bain, détendu, Ponia cesse de jouer à Ponia, il redevient alors le chef de sa tribu et considère l'agitation parisienne avec autant d'amusement que de détachement. La passion de Ponia étant la photo, on peut voir trôner sur la cheminée un cliché représentant l'ancien ministre de l'Intérieur ceint d'un tablier sur lequel on peut lire « Mangez du poulet ». L'humour a toujours été une des qualités poniatowskiennes.

MILITER POUR QUOI FAIRE ?

41, rue de la Bienfaisance

Dimanche 19 mai 1974, 22 heures, la petite rue de la Bienfaisance, entre la rue de Miromesnil et l'avenue de Messine, est remplie d'une foule compacte. Lorsque Giscard paraît à la fenêtre du premier étage cette foule n'ovationne déjà plus son candidat, mais le président. C'est la fête autour des immenses buffets « campagnards ». Les admirateurs de Giscard tanguent, des vagues de supporters viennent battre la porte du 41 rue de la Bienfaisance, dans l'enthousiasme et l'euphorie de la victoire.

Trois ans après, le Q.G. de la campagne électorale est devenu un symbole. Le « Club du 41 » n'a jamais vu le jour, mais tous les ans, aux alentours du 19 mai, on se rassemble. Ceux qui ont participé à la bataille, ceux qui le croient, ou ceux qui veulent le faire croire. Une année, le président distribue des médailles de bronze ou d'argent aux athlètes de la victoire; une autre, on remet au président, en grande pompe, une lithographie représentant la façade historique. Valéry Giscard d'Estaing adore les gestes symboliques; et les giscardiens, comme les autres Français, aiment ranimer la flamme de leurs souvenirs.

Aujourd'hui, 41, rue de la Bienfaisance, c'est l'adresse du parti républicain. Le point de rencontre des giscardiens. Une cinquantaine de bureaux moquettés de marron qui n'ont plus grand-chose à voir avec la ruche électorale. Le secrétaire général du parti occupe à l'entresol le bureau qui était réservé à Valéry Giscard d'Estaing pendant la campagne et dans lequel il vint à peine cinq fois.

Le bureau voisin était occupé au printemps 1974 par Michel d'Ornano; le canapé noir témoin des petits déjeuners-ralliements du second tour a disparu. Le large bureau du numéro deux du parti l'a remplacé. Au classicisme sobre du mobilier de ces deux bureaux a succédé un style design.

80 personnes environ travaillent aujourd'hui dans les 6 étages. Ils étaient 30 aux premiers jours de la campagne présidentielle et 150 à la fin, sans compter les touristes, les journalistes, les militants de passage et les simples spectateurs.

195, boulevard Saint-Germain. De 1966 à 1975, le troisième puis le quatrième étage de cet immeuble proche de Saint-Germain-des-Prés a été le centre nerveux du dispositif giscardien, 9 bureaux et moins de 20 personnes – dont 5 à 6 permanents politiques –: la comparaison montre à l'évidence que depuis l'élection présidentielle, les giscardiens se sont « agrandis », et pas seulement en passant de 250 à 1 200 m^2. La nostalgie de « 195 » flotte parfois encore au « 41 ». Les pionniers percent parfois sous les anciens combattants. En juin 1966, Georges Pompidou avait inauguré les locaux du 195 que lui faisait visiter Giscard, alors ex-ministre de l'Économie et des Finances. « Vous êtes un peu à l'étroit ici », avait observé, goguenard, le Premier ministre qui faisait figure déjà de patron de l'U.N.R. Giscard, le sourire assassin, avait répliqué : « C'est, actuellement, notre lot. »

L'heure n'est plus, rue de la Bienfaisance, aux dialogues historiques. Une véritable administration tourne aujourd'hui ici. Avec sa part d'habitude, de pesanteurs. Presque un vrai parti.

Qui y travaille ? Une escouade de dactylos, secrétaires, assistantes, blondes et bien mises : une machine bien huilée, de la voix suave : « Parti républicain, bonjooour ! », aux magnétoscopes soigneusement entreposés au sixième étage pour les stages de formation.

Il y a aussi les « permanents ». Un bloc homogène de jeunes apparatchiks qui se ressemblent, même si les uns ont commencé en 1966 et les autres en mai 1974. Ici, moins de diplômes, moins de décontraction qu'à l'Élysée, plus d'acharnement aussi. Seuls véritables militants d'un parti où l'engagement n'a pas bonne presse, où l'individualisme prend le pas sur le collectivisme. Qu'ils s'appellent Bernard Lehideux, Alain Madelin, Jean-Pierre Raffarin, Dominique Bussereau, Dominique Morin, Yves Verwaede, Francis Hauguel, François Haut ou Roland Blum, ces cadres du parti ont une certaine expérience, parfois ancienne, du pinceau et de la colle, des ronéos et des meetings, des journaux électoraux ou des débats contradictoires.

Il y a enfin l'équipe du secrétaire général du moment : Jean Pélissier, le directeur du cabinet ; Agnès Carlier, l'attachée de presse ; des collaborateurs occasionnels, des représentants personnels, etc. Jean-Pierre Soisson a ajouté à ce dispositif habituel un maître Jacques, énarque et conseiller à la Cour des comptes comme lui : Jacques Douffiagues, son ancien directeur de cabinet, aujourd'hui délégué général du parti républicain, qui parle et agit en son nom.

Les giscardiens ont étoffé leur équipe et, outre le soutien au président qui reste leur raison d'être, ont reporté leur ambition pour Giscard sur eux-mêmes. Même agrandie, même enrichie, leur machine parisienne reste légère par rapport au R.P.R., au P.S., ou plus encore au P.C. Entre le « 195 » et le « 41 », on est passé de l'amateurisme au semi-professionnalisme, de l'échoppe à la grosse boutique, mais on est encore loin de la grande surface...

La valse des chefs

Heureusement, le chef incontesté des giscardiens est bien Giscard lui-même. Sinon, comment s'y retrouver dans cette valse-hésitation de patrons éphémères qui se succèdent tous les ans ? Ponia fut, derrière Giscard, le premier numéro un du parti ; il n'y a pas si longtemps que « Ponia » faisait, à l'applaudimètre, les plus beaux scores. Mais Ponia, lui-même, a connu des éclipses, notamment gouvernementales. Et les secrétaires généraux ont défilé, depuis, à la tête des Républicains indépendants, puis du parti républicain, à une cadence accélérée.

Dernier secrétaire général d'avant 1974, Michel d'Ornano avait, avant les présidentielles, un rôle bien défini : le dispositif, préparé par d'autres, devait être prêt à fonctionner, le parti de Giscard conforté, et les gaullistes rassurés. Trois ans plus tard, Michel d'Ornano mène une autre campagne d'envergure, la sienne cette fois, mais il connaît l'échec face à la bête noire des giscardiens – Jacques Chirac. Michel d'Ornano, candidat à la mairie de Paris, n'était plus le patron du parti. A l'époque ce dernier s'appelait Jacques Dominati, qui se préparait depuis dix ans à cette candidature. De 1975 à 1977, celui-ci sera un secrétaire général aussi loyal que désabusé. Mais n'anticipons pas.

Roger Chinaud, nommé secrétaire général en juin 1974, fut le dernier secrétaire général du vieux « 195, boulevard Saint-Germain ». Son départ en janvier 1975, aura quelques relents d'échec. Il est vrai que la mission qui lui avait été confiée était une mission impossible : faire croire, sans moyens, que les Républicains indépendants allaient devenir un grand parti, alors que ni Giscard ni Ponia ne le souhaitaient, relevait plus que de l'exploit, c'était une gageure. Avec ses armes – connaissance du terrain et des hommes – Roger Chinaud a réussi à maintenir une structure giscardienne dans les mois qui suivirent la victoire. Cela peut paraître mince ; ce fut loin d'être négligeable dans cette période d'euphorie ministérielle et d'hésitations politiques, qui coûta cher au parti du président.

Jacques Dominati lui succéda. Ce Corse de Paris s'était vu fixer un cap par Ponia en deux formules prononcées le 1er février 1975, salle Pleyel : « devenir plus » et « construire un grand rassemblement populaire autour du président ». Sa réussite fut sensiblement la même que celle de Roger Chinaud. En fait, les objectifs réels de l'Élysée n'avaient pas changé. Jouant sur les militants, comme Roger Chinaud avait joué sur les cadres et les notables, Jacques Dominati se donna beaucoup de mal. En vain. A son actif, le déménagement des Républicains indépendants du boulevard Saint-Germain vers l'ex-siège de la campagne présidentielle, et surtout le rassemblement du Champ-de-Mars en juin 1976.

Roger Chinaud avait reçu en récompense la présidence du groupe parlementaire ; Jacques Dominati reçoit un demi-maroquin. Tous deux sont ressortis meurtris de l'aventure — le second davantage après les municipales parisiennes — mais le parti n'a pas changé.

Comme la désignation de Michel d'Ornano pour les municipales de Paris avait choqué Jacques Dominati, la victoire de Jacques Chirac a choqué le président de la République. Jean-Pierre Soisson, dernier des mousquetaires, un d'Artagnan plein de panache qui se prend parfois les pieds dans son épée, fut pressenti en mai 1977. Fort des échecs antérieurs, agitant l'épouvantail des sondages, il obtient à la fois les moyens qu'il demande... et les coudées franches : la mise à l'écart du parti de Michel Poniatowski. Prenant exemple sur les gaullistes, il ravale la façade du parti giscardien, change le nom et les hommes.

De 1974 à 1977, Ponia, avec ou sans le titre de président des Républicains indépendants (c'était selon) était resté le vrai chef des giscardiens. Jean-Pierre Soisson rompt avec le passé, et avec tout ce qu'il comporte d'erreurs politiques ou de souvenirs pénibles : oubliés, l'échec de Paris et l'ouverture aux socialistes. A Fréjus, le parti républicain s'est trouvé doté d'un patron, d'un budget. De son côté, Ponia s'est vu offrir ce moment privilégié de la carrière d'un homme d'État français : une traversée du désert. Sept mois plus tard, Ponia réapparaît. Qu'y a-t-il de changé ?

La nébuleuse giscardienne

Les Républicains indépendants n'étaient pas le premier parti de France. Le parti républicain ne l'est pas davantage. Et pourtant les hommes du président ne se trouvent-ils pas dans une situation dominante ?

Les giscardiens ne sont pas tous au parti républicain. Il y a aussi les clubs Perspectives et Réalités, les Jeunes Giscardiens, tel ou tel organisme provisoire, et surtout la masse de ceux qui se réclament de Giscard sans adhérer à un quelconque groupement. Héritiers des « indépendants », les giscardiens n'aiment pas être mis en cartes, en fiches ou en cohortes.

L'expression de « nébuleuse giscardienne » rend bien compte de ce flou politico-artistique dans lequel se complaisent Giscard et les siens. Elle n'est pas née par hasard. Trois composantes de cette nébuleuse dominent :

– *Le parti :* Avant le congrès de Fréjus, une évolution se dessinait. Du parti de notables que constituaient les Républicains indépendants première manière, on s'orientait vers un parti de militants. Mais le parti républicain reste à mi-chemin : ni parti de militants à la façon du P.C., ni parti de notables à la façon des radicaux, le parti républicain s'en tient à une formule intermédiaire, dans laquelle les parlementaires conservent une place éminente.

Le parti s'est construit sur le groupe parlementaire, et les évolutions les plus récentes n'empêchent pas qu'un député de base, même élu de fraîche date, a toujours plus de poids qu'un apparatchik blanchi sous le harnais. Sur l'échelle qui va des indépendants les plus traditionnels aux giscardiens les plus réformistes, le groupe parlementaire est très « indépendant », et le parti un peu moins.

— *Les clubs :* Organisation plus légère et moins politique, les clubs Perspectives et Réalités ont joué un rôle fondamental dans le rajeunissement des hommes et des idées. L'idée initiale de Giscard — constituer un vivier « politique » — s'est confirmée à l'usage. Les clubs, eux, sont plus « giscardiens » qu' « indépendants ».

— *Les Jeunes :* Un maelström de bonnes volontés et d'idées originales, voilà ce qu'était Génération sociale et libérale (G.S.L.). Ici, pas vraiment d'organisation. « Autrement », le mouvement qui a succédé à G.S.L. n'a pas de président ni de secrétaire général, mais un « porte-parole ». La démarche des Jeunes Giscardiens n'est pas politique comme celle du parti, ni économique comme celle des clubs, elle est adhésion spontanée à Giscard lui-même. Ces jeunes sont « giscardiens » et ignorent ce que sont les « indépendants ». Quant ils le savent, ils s'en moquent.

Plus ou moins éphémères, certaines structures complémentaires sont apparues dans cette nébuleuse.

Ainsi *le Comité national de soutien au président de la République*, résurrection, trop tardive pour réussir, des comités de soutien de la campagne présidentielle, et que le parti républicain a absorbé à Fréjus.

– *Les commissions féminines* qui, sous des dénominations différentes, ont tenté de regrouper les femmes giscardiennes sans jamais y réussir.

– *Le club « Agir pour l'Avenir »*, sorte de centre de formation aux candidatures municipales et, surtout, législatives. A la mise à l'écart de Ponia qui l'a fondée, et avec l'approche des élections elles-mêmes, cette « école de cadres » permanente s'est intégrée, elle aussi, au parti républicain.

Dans cet ensemble disparate, on pourrait aussi retrouver une partie du cabinet du président de la République, et surtout celui de Michel Poniatowski, lorsque celui-ci était ministre de l'Intérieur. Le cabinet du président s'est réorganisé, depuis la constitution en son sein d'une cellule politique. Quant au cabinet de Michel Poniatowski il a duré ce que durent les gouvernements, et s'est désintégré au départ de son patron.

Si cette nébuleuse giscardienne n'a pas volé en éclats malgré les revers et les hésitations, cela tient d'abord et surtout à Giscard lui-même. Les « giscardiens » n'existent, pour le moment bien sûr, que par lui ; quant aux « indépendants », en bougonnant parfois, ils reconnaissent en Giscard leur « grand homme », celui qui les a sauvés des gaullistes hier, et qui peut leur éviter la gauche demain. Pour renforcer ces multiples adhésions personnelles la politique invente de grandes célébrations collectives. Aux messes gaullistes, aux meetings communistes, les giscardiens ont préféré des réunions où politique et spectacle ont toujours fait bon ménage.

La fête à Giscard

L'État-spectacle ? Les giscardiens n'ont pas attendu Roger-Gérard Schwartzenberg pour inventer ces grandes réunions où l'on mêle de plus en plus la politique et le show-business. Giscard lui-même a effectué plusieurs fois sa « rentrée » dans ce type de réunions auxquelles participent tout à la fois jeunes et vieux, militants et notables, et qui constituent autant de fêtes de famille et d'étapes dans la vie du mouvement.

Cela s'appelle parfois « congrès », (mais combien de congrès du parti giscardien se sont-ils tenus exactement ? Bien malin qui pourrait le dire). Cela s'appelle parfois « journées » ou « séminaire », « convention », etc.

— Première de ces grandes manifestations : le séminaire « non-stop » de Courbevoie (1969). En conclusion de ses travaux, Giscard offre à Chaban des propositions pour la « nouvelle société » du Premier ministre. C'est alors la lune de miel entre les deux hommes, les « cher Jacques » et« cher Valéry », les amabilités ; elles ne dureront pas des années.

— Deuxième réunion : le congrès des Républicains

indépendants de Toulouse en 1971. On élit un bureau politique qui durera quatre ans. Le soir, le congrès s'amuse : Danièle Gilbert tend à Valéry Giscard d'Estaing un accordéon et tout le monde reprend en chœur « Je cherche fortune » avec le ministre... des Finances. Mêler la politique et la fête, dans un parti de la majorité, c'était alors faire œuvre de précurseur.

— « La France souhaite être gouvernée au centre » : voilà ce que l'opinion retiendra du meeting de Charenton, en 1972, où Valéry Giscard d'Estaing effectue une de ces rentrées politiques qu'il affectionne.

— 1973 : Les journées de Vincennes « A la rencontre de la France » permettent à Giscard de rencontrer Lanza del Vasto, Alain Colas, Walter Spanghero, Rolf Libermann, le cardinal Daniélou et quelques autres « vedettes » de la France contemporaine.

— Le congrès de Paris, en 1975, se partage entre la salle Pleyel et le palais des Congrès. Ponia remet la politique politicienne au goût du jour en redevenant président, en nommant Jacques Dominati secrétaire général à la place de Roger Chinaud, et en faisant élire un nouveau bureau politique plus conforme à l'évolution du parti.

— 1975 : Retour au spectacle avec les G.S.L. cette fois, qui organisent en octobre une grande fête à la Porte de Versailles.

— Trente mille giscardiens au Champ-de-Mars. Tel est le pari qu'a pris (et qu'a gagné) Jacques Dominati en juin 1976, multipliant les fanfares et les chapiteaux. Pour une fois, la notion de rassemblement populaire prend un sens, et pas seulement grâce à la banderole des « métallos de Moselle » sur laquelle s'attardent les caméras de la télévision. Au-delà des flons-flons, les organisateurs s'interrogent : va-t-on conduire cette foule devant l'Élysée pour encourager le président et lui montrer la réalité du parti giscardien ? A la dernière minute, on décide de ne pas prendre ce risque.

– Dernier avatar de la geste giscardienne : le congrès constitutif du parti républicain à Fréjus, sous des trombes d'eau et des rafales de vent. Les débats ont lieu dans les arènes ou sous des chapiteaux et c'est bien de politique qu'il s'agit, même si Thierry Le Luron et Nicoletta s'y produisent. Jean-Pierre Soisson, le nouveau patron, se donne « 100 jours pour s'organiser, 100 jours pour convaincre et 100 jours pour gagner ». Un pari très giscardien dans sa formulation.

Au bureau politique

Jeudi matin, 9 heures. Les premiers arrivants entrent dans la salle de réunion du 41, rue de la Bienfaisance, au rez-de-chaussée, là où Valéry Giscard d'Estaing fit, dans une cohue homérique, sa première déclaration après son élection.

Le bureau politique du parti républicain commence toujours avec retard. Sur la trentaine de personnes qui participent normalement à cette réunion, les absents ne manquent pas. Certains – ils sont rares tout de même – ne viennent pratiquement jamais. Lorsque la discussion démarre, la porte s'ouvre sur un retardataire, sur une secrétaire venue porter le texte d'un message. Ce va-et-vient dissipe une réunion par ailleurs très sérieuse.

Au confluent des différentes activités giscardiennes, le bureau politique est l'occasion d'échanges de vue et d'informations sur les sujets d'actualités. Philippe Pontet évoque les activités des clubs, Bertrand de Maigret fait le point sur les activités du secrétariat national — le « gouvernement » giscardien, avec ses spécialistes, des grands dossiers (famille, cadres, jeunesse, justice, rapatriés, etc.) Jean-Pierre Soisson, Jacques Douffiagues, et Alain Griotteray parlent politique, c'est-à-dire, le plus souvent, élections législatives.

A l'abri des oreilles indiscrètes, on se plaint un peu des alliés récalcitrants, des ministres distants (seuls Jacques Blanc, Paul Dijoud, Christiane Scrivener, et Michel d'Ornano sont membres, pour l'instant, du bureau politique), des cabinets ministériels et des conseillers du président. « Lors du dernier bureau politique, lance parfois Jean-Pierre Soisson devant la petite classe qui baisse la tête, il semble qu'il y ait eu des fuites. J'ai lu des choses dans *Le Canard enchaîné* et je n'aime pas ça ! » Encore faut-il préciser que rien d'essentiel ne se décide là. Ce qui explique sans doute que tel ancien ministre déploie ostensiblement son journal – *Le Matin* ! – pendant la réunion et que tel membre de cabinet ministériel avoue avec une certaine fierté : « D'habitude, j'apporte des dossiers gros comme ça, et je signe mon courrier pendant la réunion. »

En fait, les vraies décisions, celles qui sont réellement importantes – c'est-à-dire politiques – se traitent ailleurs. Entre le secrétaire général et l'Élysée. Et lorsque Jean-Pierre Soisson annonce : « En accord avec le président, j'ai décidé de... » l'affaire est entendue.

La province dit que... la province pense que...

La réalité d'un parti politique se mesure à son implantation. Au-delà des chiffres annoncés, il semble qu'aujourd'hui les giscardiens existent à peu près partout au niveau départemental, exception faite des fiefs de quelques rares personnalités locales qui voient encore d'un mauvais œil tout remue-ménage militant.

« Nous devons mettre en place la structure du parti là où il n'existe pas encore, au niveau cantonal, au niveau communal » : Bernard Lehideux, délégué national à l'organisation, réaffirme une fois de plus, devant les secrétaires fédéraux rassemblés à l'hôtel Méridien à Paris, cet objectif fixé à Fréjus. Dans la salle, les présents se font l'écho de certaines inquiétudes de la base. Depuis Fréjus, les nouveaux statuts prévoient que les responsables départementaux, appelés secrétaires fédéraux, sont nommés, et non plus élus, et qu'à leur tour ils doivent nommer des délégués cantonaux. Ils s'interrogent : « Est-ce bien démocratique ? » Bernard Lehideux répond d'un mot : efficacité. Et il insiste encore : « Nous sommes devenus un parti, nous devons adopter les méthodes d'un parti, et donc la discipline. » Le message passe. Non sans quelques réticences.

Tel un diable sortant de sa boîte, Jean-Pierre Soisson jaillit de la tribune, sans qu'on l'ait vu rentrer. Numéro classique : regonfler les militants, ou plutôt les cadres du parti. La première phrase fait dresser l'oreille : « Je reviens de l'Élysée. Le président m'a chargé de vous dire... »

Quand les problèmes électoraux n'occupent pas toutes les énergies, l'animation est à la fois nationale, régionale, et départementale. Plusieurs permanents nationaux : Lehideux, Verwaerde, Madelin, Raffarin, etc. vont porter la bonne parole à la base. Ils vont aussi prendre la température de « la province ».

Au plan régional, des chargés de mission permanents — ils sont actuellement une quinzaine — sillonnent sans cesse leurs régions respectives, informent Paris sur la vie des fédérations, transmettent les directives, préparent des « coups » politiques, assistent les candidats dans leurs campagnes électorales.

Au plan départemental, enfin, les choses ont changé depuis l'époque où une ville ou un département se résumait à un nom : pendant des années lorsque l'on disait Toulouse on pensait Mamy. Lyon, Feuga. Saint-Étienne, Boudon. Rouen, Danet. Le Gers, Gardey de Soos. Le Pays basque, d'Elissagaray. La Somme, Henno. La Seine-Saint-Denis, Morel. Le Nord, Bataille. L'Alsace, Wahl... Avec ou sans mandats locaux, ces hommes ont été à eux seuls les Républicains indépendants de leur ville ou de leur département. Ces précieux relais se sont retrouvés en première ligne en avril 1974, et sont devenus à la fois centres nerveux et boîtes aux lettres pendant la campagne (ils recevaient alors consignes et affiches). Ces fidèles qui n'avaient souvent constitué autour d'eux que des embryons de fédérations, ont quelquefois été submergés par la vague des sympathisants, des nouveaux giscardiens, ceux de 1974.

Depuis Fréjus les structures départementales ont été revitalisées. L'organisation au niveau de la circonscription, mise en place par Jacques Dominati, est à nouveau coiffée par le département et complétée par une esquisse d'organisation cantonale et même municipale. Cette structure à la base est plus ou moins réelle, selon le dynamisme des dirigeants locaux et la couleur politique de l'endroit : paradoxalement les fédérations sont souvent plus fortes et plus vivantes dans les régions les plus à gauche. Ailleurs, les responsables sont moins motivés...

Des perspectives et des réalités

Pour toute une série de raisons, les clubs Perspectives et Réalités ont occupé dans le dispositif giscardien une place déterminante. Avec le peu d'engagement qu'elle comporte, avec ce côté britannique ou intellectuel, la formule a séduit plus facilement que d'autres les modérés qui rejettent l'embrigadement et l'action partisane. Elle a séduit aussi toute une catégorie d'hommes – et de femmes – qui ne croient guère à la Politique avec un grand P, ni à l'éloquence « IIIe République ». En visant ainsi cette clientèle de responsables, membres des jeunes chambres économiques, enseignants avides de discussions, tous abonnés à *L'Express* ou au *Point* – Giscard a fait un pari qu'il a gagné.

Ces nouveaux notables, qui succèdent à leurs

parents ou qui accèdent à la notabilité, se sont retrouvés à l'aise dans cette structure souple, menant sans risques électoraux d'interminables débats sur la réforme de l'entreprise, sur l'écologie ou sur tout autre sujet para-politique.

Les clubs que Charles Noël Hardy et Xavier de la Fournière ont si bien mis sur les rails étaient au nombre de 300 au début 1978, et regroupaient 45 000 personnes. Dans l'ensemble, leurs membres se méfient toujours un peu de la politique, même s'ils sont nombreux à sauter le pas individuellement. Les dirigeants du parti républicain, les collaborateurs de Valéry Giscard d'Estaing ou de certains ministres sont souvent issus des clubs, ou sont passés par eux.

Avant Fréjus, certains auraient voulu les amener à se fondre dans le parti républicain. Les résistances ont été nombreuses, et pas seulement celles de Jean-Pierre Fourcade qui les préside et les couve aujourd'hui. Au contraire, les clubs, qui avaient leur siège au 41, rue de la Bienfaisance, ont réussi à reprendre le large et sont installés maintenant 17, boulevard Raspail. Les clubs ont même fait leur propre programme, « Des choix pour demain », quelques mois avant le parti républicain. Un « programme politique » selon Jean-Pierre Fourcade, trop heureux de se démarquer, à chaque occasion, d'un parti bien encombrant. Un jour, fin 1975, il apprit par son chef de cabinet que le président des clubs était automatiquement membre du bureau politique des R.I. : il fit la grimace, déjà.

Les fans de Giscard

Un tee-shirt « Giscard à la barre » à même la peau ou un blouson « J'aime Paris, je vote Michel d'Ornano » sur un fin pull-over, les jeunes giscardiens ont fait irruption à leur façon, bruyante et décontractée, sur la scène politique.

Peu politisés, sauf pour certains d'entre eux qui rejettent instinctivement l'agitation dans leurs facultés, ils sont nés à la politique avec Giscard. Des jeunes Républicains indépendants de bonne famille aux jeunes lycéens en parka qui font un triomphe à J.J.-S.S. sous un chapiteau du Champ-de-Mars à l'automne 1976, il y a un monde – c'est-à-dire une élection présidentielle. C'est pourtant en grande partie l'équipe des J.R.I. de Philippe Augier qui a fait G.S.L., plus précisément « Génération sociale et libérale », un nom compliqué qui disparaîtra vite sous le vocable plus direct de « Mouvement des Jeunes Giscardiens ». Assez facilement chahuteurs devant les notables conservateurs, mais capables de vibrer à un discours musclé, les « fans » de Giscard se veulent réformistes et pleins d'imagination. Comme leur idole.

Mais, plus que le fond, c'est le style qui change avec les Jeunes Giscardiens. La petite équipe dirigeante de G.S.L. montrera pendant trois ans qu'elle a le sens des « coups », des opérations de relations publiques, en multipliant les trouvailles et les idées originales. Un jour ce sont les 3 000 « carrefours pour Giscard », une autre fois c'est un voyage en Chine qui débouche sur le livre *La Vie en jaune*. Comme dans un grand magasin bien connu, il se passait toujours quelque chose à G.S.L...

Après Fréjus, G.S.L. a été intégré au parti républicain. Gage de leur succès, plusieurs des responsables du mouvement entrent dans les instances nationales : Dominique Bussereau devient secrétaire du bureau politique du parti républicain, Jean-Pierre Raffarin délégué national à l'animation, Benoît-Roger Vasselin, secrétaire national à la jeunesse. Dans les fédérations départementales, les Jeunes Giscardiens viennent bousculer certains cadres politiques traditionnels. Mais l'amalgame n'est pas parfait et, sous l'impulsion d'Henri Giscard d'Estaing et d'Hugues Dewavrin, un nouveau mouvement de Jeunes Giscardiens démarre à l'automne 1977 : « Autrement ». Un mouvement qui se veut « apolitique », et qui est dirigé vers les lycéens plus que vers les étudiants. Ici plus question de libéralisme ou de *Démocratie française* mais de pop music, de moto, ou de chômage. Pour les 15-20 ans d'aujourd'hui, Mai 68 appartient à la préhistoire. Il faut pourtant canaliser ces jeunes à qui Giscard a donné le droit de vote à 18 ans...

Les ralliés

Il y a, bien sûr, ceux qui volent au secours de la victoire, ceux qui vont à la soupe. Mais il y a aussi ceux qui tombent sous le charme. De l'attrait intellectuel à l'ambition personnelle, on peut observer toute une gamme d'attitudes. Certains sont devenus giscardiens par intérêt; d'autres par raison, d'autres encore par surprise.

Les ralliés au giscardisme viennent rarement de la gauche. Pourtant, s'ils sont peu nombreux, ils n'en jouent pas moins un rôle important puisqu'une partie du cabinet de Giscard lui-même est composé de ces anciens radicaux, anciens socialistes, anciens mendésistes, qui ont cru dans l'étoile du ministre des Finances et qui croient aujourd'hui à la sincérité réformiste du président.

Moins rares sont les anciens « centristes ». On observe toutefois que les démocrates chrétiens bon teint se sont moins ralliés à Giscard que les centristes sans références idéologiques. Certains viennent du C.D.P. de Jacques Duhamel : ce sont ceux qui ont refusé de revenir dans le giron du C.D.S. de Jean Lecanuet. Les autres sont ces élus centristes, de tempérament plus que d'étiquette, qui cherchent parfois une protection parisienne, et auxquels Michel Poniatowski s'est beaucoup intéressé quand il était ministre de l'Intérieur.

Depuis 1974, des gaullistes se sont également ralliés. Aidés en cela par l'opération des « 43 » qu'avait montée Jacques Chirac — 43 députés ou ministres U.D.R. ont choisi Giscard contre Chaban pendant la campagne des présidentielles — les giscardiens ont récupéré quelques députés ou anciens ministres. La pêche de Roger Chinaud, le patron des R.I. au lendemain des présidentielles, aurait pu être une pêche miraculeuse si la popularité du président n'avait connu un passage à vide qui coïncida avec une nouvelle opération Chirac, antigiscardienne celle-là. Parmi les motivations de ces ralliés venus du gaullisme, outre un sens majoritaire poussé jusqu'à ses extrêmes limites, il y a aussi une certaine conception de la constitution et de la prééminence du président de la République, qui fait de ces « légitimistes » des soutiens convaincus de Valéry Giscard d'Estaing.

Restent les ralliés de l'extrême droite. Comparés à l'importance de cette famille politique en France, ils sont relativement nombreux aujourd'hui dans les rangs giscardiens. Combattants vaincus de l'Algérie française ou des groupuscules nationalistes et soixante-huitards, ils ont rallié les giscardiens, un à un, dans un souci d'efficacité. En vieillissant ils se sont aussi assagis, renonçant aux outrances de leur adolescence mais sans perdre quelques réflexes, anticommunistes par exemple.

La période algérienne a profondément marqué les giscardiens, peut-être plus que les autres formations politiques, les Républicains indépendants sont en effet nés, en 1962, de la rupture avec le Centre National des indépendants à propos de la crise européenne et de la crise algérienne. Choisissant de Gaulle, les Républicains indépendants choisissaient la solution gaulliste pour mettre fin à la guerre d'Algérie. Cela n'a pas empêché certains d'entre eux d'avoir quelques nostalgies, plus ou moins actives. Dautres, en désaccord alors avec ce choix, ont rallié Giscard par la suite, lorsque l'Algérie fut oubliée.

Les « renégats »

En 1962, autour de Giscard et de quelques autres, c'est un groupe républicain indépendant qui vit le jour, non un groupe giscardien. Aujourd'hui, les Républicains indépendants sont devenus le parti républicain, c'est-à-dire bel et bien le « parti du président ». Et il y a une différence profonde entre le parti républicain et ce qui reste du C.N.I., au point que certains des parlementaires de 1962 n'ont pas suivi Giscard. Depuis l'élection présidentielle quelques-uns ont même nettement pris leurs distances. Philippe Malaud et, à un degré moindre, Jean Chamant sont ainsi voués aux gémonies par l'appareil politique de la rue de la Bienfaisance.

Déjà, entre 1967 et 1969, les ministres républicains indépendants du général de Gaulle se désolidarisaient de leur leader lorsque celui-ci égratignait la susceptibilité présidentielle. En 1969, lorsque Valéry Giscard d'Estaing prit position pour le « non » au référendum, il ne trouva plus à ses côtés que les clubs, ce qui existait des fédérations de province et ses fidèles du boulevard Saint-Germain ; les ministres et la grande majorité des parlementaires refusèrent ce crime de lèse-majesté et appelèrent à voter « oui ».

Dès le début des années soixante-dix, les Républicains indépendants ont tenté de séduire le C.N.I. Les frères ennemis ont bien mis sur pied une « Confédération des indépendants » mais elle n'a jamais débouché sur une fusion. Au contraire, les sirènes chiraquiennes ont eu raison du C.N.I. qui, oubliant le passé, s'est associé depuis les municipales avec les gaullistes du R.P.R.

Le C.N.I., comme la nostalgie, n'est plus ce qu'il était. La formation d'Antoine Pinay et de Camille Laurens bénéficie malgré tout d'un réel crédit aux yeux de quelques notables traditionnels. Son évolution récente, l'arrivée en son sein d'élus qui furent républicains indépendants, agace prodigieusement le parti républicain et les giscardiens. Les frontières ne sont pas fermées pour autant : cela fait peu de temps que les giscardiens ont des cartes de membre des Républicains indépendants ou du parti républicain, et le C.N.I. n'est pas près de le faire. L'ambiguïté peut donc demeurer longtemps encore : tant qu'il y aura en France des giscardiens et des indépendants...

Querelles de famille

Le linge sale se lave mieux en famille, c'est bien connu. Les querelles les plus acharnées sont aussi les querelles de famille. Les giscardiens n'échappent pas à cette vieille tradition politique française. En dignes fils d'Astérix, ils dépensent beaucoup de leur temps et de leur énergie dans des batailles intestines.

Le groupe parlementaire prend facilement ombrage des initiatives du parti. Chaque élu se considère comme maître chez soi et admet difficilement en effet, que des militants ou, pire, des « fonctionnaires » du parti, lui indiquent ce qu'il doit faire et comment il doit le faire. Dans le passé, les tensions étaient sans doute plus vives entre les parlementaires et le 195, boulevard Saint-Germain. Aujourd'hui, les locataires du Palais-Bourbon s'entendent mieux avec les propriétaires de la rue de la Bienfaisance. La présence de Valéry Giscard d'Estaing à l'Élysée simplifie évidemment les relations.

L'arrivée de Roger Chinaud, homme de parti dès l'origine, à la tête du groupe de l'Assemblée nationale a aplani un peu plus les divergences. Envoyé en mission pour transformer ces députés républicains indépendants en députés giscardiens, le nouveau président du groupe a déployé toute son habileté pour obtenir de ses collègues qu'ils ne prennent pas le contrepied des initiatives élyséennes, parfois retransmises par le parti. Même si les parlementaires continuent à observer la machine politique avec condescendance, les permanents du parti à soupirer à l'évocation des députés ou des sénateurs, les relations se sont malgré tout normalisées.

Les choses deviennent plus complexes avec les ministres. On reprochait autrefois aux ministres leurs positions politiques lorsque de Gaulle était à l'Élysée, on leur reproche maintenant de préférer les DS à cocarde, les Mystère-20 du G.L.A.M. et les dossiers techniques, aux problèmes politiques. Chaque voyage en province d'un ministre provoque les mêmes jérémiades : « Il aurait pu venir nous voir, nous inviter à la préfecture ! » clament les militants. Rue de la Bienfaisance, comme à Marseille, Toulouse, Lille ou Strasbourg, on n'apprécie guère le coup du mépris. « Regardez les ministres R.P.R., expliquent les responsables du parti giscardien, voyez comme ils profitent du moindre déplacement pour faire de la politique. Nous sommes vraiment des enfants de chœur !... »

Certains ministres conservent la tripe militante, trop parfois, comme Gérard Ducray qui y a perdu son portefeuille ministériel. Mais la majorité d'entre eux estime surtout que les affaires de l'État sont trop sérieuses pour être mélangées aux problèmes partisans. Certains ministres mettent même leur drapeau dans la poche préférant le terme moins contraignant de « majorité présidentielle » à celui de « parti républicain ».

Dernière querelle, plus feutrée, celle qui met aux prises le cabinet présidentiel et la direction du parti. Plutôt que de querelle il faudrait parler d'opposition larvée. En effet, les giscardiens de l'Élysée ne considèrent pas toujours que la meilleure façon d'aider le président soit d'aider le « parti du président ». Le grand rêve de l'ouverture à gauche, d'abord vers les radicaux de gauche puis vers les socialistes demeure vivace dans l'entourage présidentiel. Jean François-Poncet, Victor Chapot ou Jean Riolacci préfèrent soutenir ici ou là des radicaux, même (surtout) s'ils sont de gauche. Quant aux responsables du parti républicain ils pensent d'abord à développer leur boutique et supportent mal ce qu'ils considèrent comme des empiètements sur leur marge de manœuvre. La préparation des élections a sans doute aussi contribué à exacerber ces oppositions.

Les clefs du giscardisme

Les giscardiens ne se réclament d'aucune idéologie, d'aucun dogme, même s'ils ont accueilli *Démocratie française* avec un certain soulagement. L'ouvrage présidentiel est venu combler en effet à temps un vide ressenti assez fortement par les cadres et les militants du parti.

« Centristes, libéraux et Européens », pendant des années les Républicains indépendants se sont d'abord et presque exclusivement définis ainsi. L'expression, amputée du premier terme, a même servi à l'affiche des présidentielles de 1969 : « Libéral, européen, je soutiens la candidature de Georges Pompidou », qui était signée « Giscard d'Estaing ».

Centristes, les giscardiens ont dû longtemps se défendre contre les accusations de leurs adversaires ; mais leurs partenaires aussi les ont catalogués « à droite ». Les gaullistes d'abord, les centristes de M. Lecanuet ensuite, ont cherché à repousser les giscardiens sur leur droite et ceux-ci se sont défendus en se définissant comme « centristes ». Une autre raison explique l'attachement des giscardiens à ce qualificatif. Comme Valéry Giscard d'Estaing l'a proclamé en 1972 à Charenton, « la France souhaite être gouvernée au centre ». Est-il donc une meilleure position pour gouverner que le centre, lieu géographique du pouvoir ?

Libéral : Avec sa double signification politique et économique, ce terme contient à lui seul le giscardisme et ses ambiguïtés. Le libéralisme politique est approuvé par tous, mais le libéralisme économique n'a pas bonne presse. Les giscardiens ont choisi entre capitalisme et socialisme, mais leur chef, qui s'est révélé résolument dirigiste au ministère des Finances, tempère le libéralisme de ses partisans. Il est question dans sa bouche de « libéralisme social », de « société libérale avancée ». Sans tenir le langage qui est celui d'autres familles politiques, Giscard penche même vers une sorte de « troisième voie ». C'est ainsi qu'il écrit en conclusion de *Démocratie française* : Ce projet « est aux antipodes du collectivisme. Par nature, un système collectiviste, qui écrase et nie l'individu, est contraire aux aspirations des Français. Ce n'est pas non plus un projet libéral classique, tel que la société américaine l'a rêvé, et l'exprime encore. Non que nous méconnaissions la simplicité et la force de la conception libérale. Mais elle fait souvent peser sur l'individu, replacé au centre du système, face à tous les hasards de la vie, à toutes les entreprises des hommes, une charge trop lourde, une destinée trop injuste, une solitude trop désespérée. C'est au futur modèle européen que s'apparente le projet que nous proposons ».

Troisième force, troisième voie, troisième camp aussi, avec *l'Europe*. Dès le début Giscard a défendu l'idée européenne, notamment contre de Gaulle. Aujourd'hui ces questions sont encore l'occasion d'affrontements entre les gaullistes et les giscardiens, qui tiennent à soutenir la vocation européenne du nouveau président de la République.

« Centriste, libéral et européen » : cette devise n'a satisfait qu'un temps les giscardiens. La sortie de *Démocratie française* leur a permis d'en savoir un peu plus sur eux-mêmes et sur les idées qu'ils défendent. Par la suite le *Projet républicain* ou le livre des clubs *Des choix pour demain* se sont efforcés de donner un contenu concret (21 propositions pour le parti républicain) aux thèmes développés par le président.

Sommairement les idées giscardiennes s'ordonnent autour de dix points :

– Maintien des institutions de la Ve République
– Réduction des inégalités

— Action prioritaire pour les plus défavorisés
— Préservation des libertés publiques et individuelles
— Adaptation des lois à l'évolution des mœurs
— Décrispation de la vie politique française
— Développement de la démocratie locale
— Lutte contre la bureaucratie
— Poursuite de la construction européenne dans tous les domaines
— Maintien de l'indépendance nationale, des relations pacifiques avec tous les pays et développement de la coopération avec le tiers monde.

Malgré ces précisions le parti giscardien se trouve aujourd'hui placé dans la position des partis de gouvernement. Voué à soutenir l'action du président, il est obligé de suivre les évolutions de la pensée de son ancien patron qui décide en fonction des circonstances et des résistances. C'est ainsi que les giscardiens depuis 1974 s'affirment moins fermement régionalistes, présidentialistes et proportionnalistes qu'auparavant: la situation leur impose, pour ne pas gêner Giscard, de cesser de prôner une modification de la Constitution dans un sens plus présidentiel, une modification de la loi électorale ou de l'organisation administrative de la France.

Pragmatiques par nécessité au début de leur existence, les giscardiens le sont devenus par raison. Raison d'État, s'entend.

DEUXIÈME PARTIE

Giscard par Giscard

« Je crois qu'il n'y a pas lieu pour l'homme politique de chercher à se faire connaître au-delà de sa fonction. Je crois que ce n'est pas son rôle. Mais il doit se faire connaître d'une manière qui soit telle que les gens comprennent comment il exerce sa fonction. Ce n'est pas pour faire connaître un individu, qui est un individu parmi d'autres, mais pour faire en sorte que, dans l'exercice de sa fonction, les gens puissent connaître l'aspiration, l'attitude, les traits de caractère qui expliquent l'exercice de cette " fonction ". » Ainsi s'exprimait, le 16 juin 1976, Valéry Giscard d'Estaing en répondant à une interview de Jacques Chancel.

Qui, mieux que Giscard, peut en effet présenter le premier des giscardiens ? Pendant la campagne des présidentielles, depuis qu'il est installé à l'Élysée, Valéry Giscard d'Estaing s'est souvent décrit, défini, présenté [1].

1. Nous avons rassemblé dans cette partie du livre des passages d'interviews accordées aux différentes chaînes de télévision, à R.T.L., à

Avant la galerie de portraits des 142 giscardiens les plus importants ou les plus significatifs, voici donc l'autoportrait de Valéry Giscard d'Estaing.

Une jeunesse heureuse

« J'ai eu beaucoup de chance. J'ai eu une jeunesse heureuse. (...) A cette époque, il n'y avait pas de vie sociale. Les gens ne recevaient pas, ne sortaient pas. Le milieu c'était les proches, le cadre, l'Auvergne. On ne s'interrogeait pas sur son environnement. Parmi ces proches, j'étais heureux...

« A vingt ans, je n'avais effectivement rien remis en cause. Mais je me suis aperçu par la suite qu'il y avait des secteurs du monde où je n'avais pas pénétré intellectuellement ou affectivement. J'ai découvert de graves ignorances, elles ne me conduisirent pas à remettre en cause les structures de la société (...) Des livres clés, des maîtres à penser, je n'en ai eu aucun... »

Le 2e dragons

« Ce fut une promenade automobile. (...) Dans notre régiment de chars, le 2e dragons, les postes

France-Soir, à *L'Expansion*, ainsi que des propos tenus au séminaire de Courbevoie ou rapportés dans le livre de notre confrère André Pautard : *Valéry Giscard d'Estaing*.

spécialisés étaient tenus par des Français d'Algérie, les autres par des musulmans. (...) Comme nous étions des amateurs, nous avons passé plusieurs mois avec les musulmans. (...) C'était un coup d'aspirateur sur mes habitudes. »

Les limites de l'ambition

« Je ne suis pas quelqu'un de secret, je suis quelqu'un de réservé. (...) Je ne crois pas au mot ambition, c'est un mot péjoratif. Je ne suis plus ambitieux. Je l'ai été lorsque j'étais jeune ministre. (...) Et puis quand j'ai quitté le gouvernement, j'ai mesuré les limites de l'ambition. (...) Je suis sûr que la postérité ne gardera aucune image de moi. »

Une certaine apparence

« Je suis plutôt maigre. Bon, cela me donne une certaine apparence, je suis ainsi. (...) Je me sens jeune. Je me sens plutôt intelligent. Je me sens assez décidé, je me sens assez gai, assez chaleureux. La beauté, je n'en suis pas juge. »

Il y a richesse et richesse

« Je ne suis pas ce qu'on appelle quelqu'un de riche, d'abord je ne suis pas quelqu'un qui a mené une vie vers l'acquisition de la richesse puisque ma carrière est une carrière de fonction publique, ce n'est pas là qu'on fait fortune. J'appartiens à la catégorie aisée. Ce que les Américains appellent la richesse, c'est autre chose : je n'aurais pas pu mener le train de vie ou avoir les moyens de quelqu'un comme, par exemple, le président Kennedy. »

Je suis comme je suis

« Le milieu, c'est une origine à laquelle je n'attache pas beaucoup d'importance et j'espère que dans la France de demain on ne s'occupera pas éternellement de l'origine des uns ou des autres, il n'y a pas de raison d'avoir une espèce de racisme politique ou social. De toute façon, je ne renie jamais ce que je suis, je n'ai jamais pris l'attitude de facilité ou de reniement par rapport à quoi que ce soit et je ne le ferai pas. Mais par contre, cela ne constitue pas du tout pour moi un obstacle ou une différence. D'abord, les choses que je suis devenu, je ne les dois pas du tout à mon origine, je les dois à des concours, je les dois à des élections. »

Un Français comme les autres ?

« Je me suis toujours efforcé de faire que les hommes d'État en France apparaissent comme des hommes plus simples. Nous avons derrière nous une tradition de protocole peut-être excessive et qui n'est pas moderne. Dans les autres grands pays, ce n'est pas comme ça : le fait pour un président des États-Unis d'apparaître en pull-over n'aurait intéressé ou frappé personne. »

Avant l'élection : « Je souhaite (si je suis élu) faire que le contact quotidien avec les Français reste un contact très simple : moi, j'ai l'intention de me promener dans la rue, j'ai l'intention, le dimanche, d'aller me promener à la campagne et de le faire comme d'autres Français le font. »

Après l'élection : « De toute façon un chef d'État c'est un personnage... Moi je n'ai pas cherché tellement à apparaître comme un personnage. Je me suis efforcé de donner du président de la République française une autre image. »

La raison et l'esprit

« Je suis beaucoup plus raisonné que raisonnable, par nature. Mais lorsqu'il s'agit des choses de la raison ou de l'esprit, il faut être raisonnable. Très souvent, on mélange les deux. Il ne faut pas raisonner dans un esprit de passion. Il y a le sujet de la passion, la souffrance, le malheur, la solitude, l'affection. (...) Et puis, il y a, au contraire, le sujet de la raison, l'organisation de la société, les rapports avec les autres. (...) Mes rapports personnels, je crois qu'ils sont très directs. (...) Je n'ai jamais été très méchant. (...) Ma courtoisie, c'est le sens de l'existence des autres. (...) J'ai horreur de l'intolérance ; d'abord, je crois ne l'avoir jamais pratiquée. (...) J'apprécie beaucoup l'humour. (...) Nous vivons dans un monde qui est dangereux, nous traitons des sujets et des intérêts respectables, en réalité donc nous ne pouvons pas donner une large place à l'humour. Mais l'humour, la corrosion de l'humour, est indispensable à l'équilibre personnel et à l'équilibre intellectuel. »

Fragile ?

« Je n'ai jamais, dans mon existence, à aucun moment, manqué de détermination. Il est vrai que j'ai horreur de la brutalité en tant que telle. Je ne l'admire et je ne la pratique pas, mais je n'ai jamais manqué de détermination. Ayant été ministre des Finances pendant douze ans, les Français n'ont jamais observé que j'avais manqué de détermination, on m'a même parfois fait le reproche contraire.

« Donc, je vous dis que dans les circonstances de toute nature que traversera notre vie nationale, je ne manquerai jamais de détermination. »

La campagne

« Ce qui m'a changé, c'est plus la campagne présidentielle que la fonction présidentielle... Depuis le début de la campagne présidentielle, j'avais la certitude que, finalement, l'élection me serait favorable. »

Servir à quelque chose

« La vie publique n'a jamais été pour moi une nécessité. Je ne me suis pas dit : " Je veux vivre et mourir dans la vie publique. " Pour moi, c'était une forme d'action, et aussi, ce que l'on sait peut-être moins, une forme d'expression. Parce que la vie publique, c'est une expression. Et cette expression peut être très intéressante, très importante, parce qu'elle fait avancer des choses. Alors, pour moi, ce qui était important, c'était l'action et l'expression. Mais s'il s'était trouvé que dans la vie publique je n'avais pu servir à rien – que, par exemple, j'aie été dans une opposition minoritaire éternelle –, je ne crois pas que j'y serais resté, parce que, à ce moment-là, j'aurais cherché une autre forme d'expression. »

Kennedy et de Gaulle

« Kennedy a représenté pour moi le gouvernement libéral progressif. C'est-à-dire l'idée qu'il faut faire à la fois deux choses. D'une part, utiliser les méthodes les plus adaptées pour la croissance de l'économie et pour affirmer sa place dans le monde ; et, en même temps, traiter de façon distincte et active la redistribution économique et sociale et l'emploi de ces ressources.

La chose qui m'a le plus frappé chez de Gaulle, c'est – le mot paraîtra peu adapté – la conscience professionnelle. Car cet homme, qui avait traversé des moments historiques extraordinaires, qui avait une certaine désinvolture d'allure, d'expression, avait une conscience professionnelle absolue. Je ne l'ai jamais vu négliger une tâche. (...) Dans l'exercice de mes fonctions, la personne dont j'ai le plus appris et de loin, c'est le général de Gaulle ; quand j'étais au Conseil des ministres dans les années 59-60, je l'observais pour apprendre. »

La solitude présidentielle

« Je crois qu'en réalité c'est la solitude de la fonction et non de la personne. Il se trouve que cette fonction est unique, par sa nature, et donc une fonction solitaire. (...)

« Il n'y a pas de récompense; plutôt la récompense vient de temps en temps et c'est le sentiment qu'il existe un contrat avec l'opinion. Donc, la récompense, c'est la perception, à un moment ou à un autre, du soutien ou de l'approbation que vous apporte l'opinion publique. Il n'y a aucune récompense quotidienne.

« Il faut d'ailleurs dédramatiser aussi un peu ces choses. L'épreuve d'un président de la République n'est pas une épreuve insupportable, il est très aidé dans son travail, il est entouré de ses proches qu'il aime et qu'il voit, et donc ce n'est pas du tout une épreuve invivable. Ce qui est vrai, c'est qu'il n'y a pas les récompenses habituelles de la vie, et ces récompenses, il faut les chercher dans le sentiment que l'on tient son contrat avec l'opinion publique. »

Au-dessus des partis

« Je n'ai pas de rapports avec des partis. Et donc, je ne raisonne pas en disant : l'U.D.R., ou les Républicains indépendants. (...) J'ai cessé d'appartenir à un parti. (...) A l'heure actuelle, et pour le restant de l'exercice de ma fonction, je poursuis une politique. Alors il y a ceux qui facilitent, qui soutiennent cette politique; il y a ceux qui la combattent, et je les juge, je les observe les uns et les autres, en fonction de cette attitude, mais pas du tout en fonction de la qualification des partis. »

TROISIÈME PARTIE

Les hommes du président

Aguiton, Pierre

L'homme de la Manche [1] 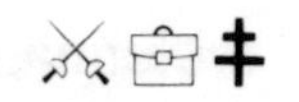

Le spécialiste des statuts. Ce magistrats de cinquante et un ans, qui a participé à la vie des Républicains indépendants depuis leur création, est le conseiller juridique des giscardiens. Fonctionnaire consciencieux et réservé, homme des coulisses, cet ancien adhérent du R.P.F. (en 1947) a fait partie de nombreux cabinets ministériels, où il assista Aimé Paquet, Valéry Giscard d'Estaing, Michel d'Ornano, puis Michel Poniatowski. Un abonné des ministres giscardiens.

Animateur des R.I. de la Manche depuis dix ans, candidat malheureux aux législatives de 1973 dans ce département, il est conseiller général et maire de Brécey.

1. La liste et la signification des symboles se trouvent page 209.

Arreckx, Maurice

Un maire de la Côte 

A la Libération, Maurice Arreckx entre au conseil municipal de Toulon comme adjoint aux sports, dans la délégation spéciale conduite par le socialiste Frank Arnal. Élu en 1953, il ne deviendra maire que onze ans plus tard. Comme Gaston Defferre, Francis Palmero et Jacques Médecin, il est de ces potentats municipaux méditerranéens, pittoresques maires de la Côte, qui règnent sans partage sur leurs cités respectives.

Vieux renard habitué à louvoyer entre les clans toulonnais, il réussit, en 1976, à devenir président de la fédération des R.I. du Var... alors qu'il n'est pas encore R.I., et que deux ou trois groupes se disputent avec acharnement la conduite du parti giscardien local. Par la suite Michel Poniatowski fit spécialement le voyage, afin d'introniser celui qui, de toute évidence, avait le plus de chances de gagner les municipales de 1977. De fait, Maurice Arreckx sortit victorieux du duel qui l'opposa au jeune gaulliste Aymeric Simon-Lorière, décédé depuis dans des circonstances tragiques.

Président du syndicat des bonnetiers en gros (c'est dans cette branche qu'il monta son propre commerce lors de son arrivée à Toulon en 1935), passionné de rugby, Maurice Arreckx n'est pas un leader national, mais regrette parfois qu'on le connaisse peu à Paris – sinon comme un maire à la réputation de « raciste », depuis qu'il tint certains propos maladroits sur un des sujets qui préoccupent fort ses administrés, les immigrés.

Augier, Marielle

Jeune et giscardienne 

Grande, blonde, spontanée et convaincue, Marielle de Sarnez est entrée un beau jour de 1973 comme secrétaire dans l'appareil des Jeunes Républicains indépendants, presque par hasard. Fille d'un ancien député gaulliste, elle s'est vite prise au jeu politique, et s'est affirmée, au fil des ans, comme une militante enthousiaste. Lors de la campagne présidentielle de 1974 (elle a alors vingt-trois ans), elle est une des animatrices du Comité national de soutien des jeunes à V.G.E. Quelques mois plus tard, elle est élue secrétaire nationale, puis vice-présidente du nouveau mouvement des Jeunes Giscardiens, Génération sociale et libérale. A ce titre, elle devient également vice-présidente de l'European Democratic Students (E.D.S.), manifestant dans ses différents mandats un talent oratoire qui n'est pas, en général, le fort des jeunes femmes politiques. Après avoir appartenu un temps au cabinet de Paul Dijoud, elle revient dans l'appareil du P.R. en 1977, comme permanente.

Cette année-là, elle épouse Philippe Augier, lui-même ancien président des J.R.I. et fondateur de G.S.L., devenu secrétaire national des R.I. en 1975. Candidat malheureux aux élections cantonales de 1976 à Compiègne, il s'est provisoirement retiré des instances giscardiennes pour se consacrer à sa deuxième passion, qui est aussi son métier : le cheval. Sa première passion restant la politique...

Barbe, Hugues-Vincent

Le Nouveau Journal

Un journaliste tenté, lui aussi, par l'action politique. Originaire du Pays basque, Hugues-Vincent Barbe a fait ses études à Toulouse avant de devenir journaliste à *L'Information* en 1953. Il fait toute sa carrière à l'agence économique et financière (A.G.E.F.I.), dont il devient P.-D.G. en même temps que directeur du *Nouveau Journal*. Maire de Marsoulas depuis 1965, il a déjà tenté à trois reprises, en 1967, en 1968 et 1973, de se faire élire député (giscardien) de la 6e circonscription de la Haute-Garonne. Son vainqueur, le socialiste Jean Lassère, est décédé en novembre 1974.

Bassi, Michel

Biographe et propagandiste 

Rédacteur en chef adjoint du *Figaro*, rédacteur en chef de l'*Agence centrale de presse* (dont le patron est Gaston Defferre), Michel Bassi a franchi, en septembre 1976, la frontière parfois ténue qui sépare le journalisme de la politique active. En entrant au service de presse de l'Élysée, l'auteur de *La République des petits papiers* a ainsi pris place dans la galerie de portraits qu'il avait astucieusement décrite dans ce livre consacré aux cabinets ministériels. Il a rejoint en outre le personnage qui l'avait fasciné, sept ans auparavant, au point d'en publier la biographie : son *Valéry Giscard d'Estaing*, le premier du genre, reste aujourd'hui encore un ouvrage de référence.

En 1977, Michel Bassi s'est lancé dans une opération originale de relations publiques (certains disent plus directement : de propagande) pour le compte du président et de son gouvernement : l'Association pour la démocratie, dont il est le secrétaire général.

Bassot, Hubert

L'homme des meetings 

Chef de parti, candidat à l'Élysée ou président de la République, Valéry Giscard d'Estaing ne s'est jamais fait de soucis pour l'organisation de ses tournées politiques en province, ou de ces grands meetings qui déplacent les foules curieuses de l'approcher et de l'entendre : Hubert Bassot est là, qui dresse les estrades et les chapitaux, commande les trains spéciaux, règle le ballet des personnalités, assure le service d'ordre, veille à la sono, prévoit le bouquet à faire porter à Anne-Aymone ou la seconde précise où devra éclater le « Chant du départ »... Une tâche difficile, ingrate, voire politiquement périlleuse : on ne recrute pas aussi facilement des « gros bras » sans susciter la curiosité du *Canard enchaîné* !

Cet organisateur-né, qui souffle en permanence

dans un énorme cigare, est entré dans l'appareil des R.I. fin 1967 après un itinéraire politique tourmenté. A trente-cinq ans, les retombées de la crise algérienne oubliées, Hubert Bassot s'engage dans ce parti encore en gestation, et va s'y montrer très vite indispensable.

Mais la vie d'apparatchik n'a qu'un temps. Après un rapide passage au cabinet du secrétaire d'État aux D.O.M.-T.O.M., l'homme qui assura pendant des années l'élection d'autres que lui (celle de Pierre Baudis à Toulouse en 1971, par exemple) part à son tour en campagne : plus normand que nature, il prépare avec soin son élection législative dans l'Orne, où il réussit à se faire conseiller général (1973), puis maire de Tinchebray (1977).

Baudis, Pierre

Le Capitole 

En conquérant la mairie de Toulouse en 1971, Pierre Baudis mit fin à soixante-quinze ans de domination socialiste sur le Capitole. Conseiller municipal depuis 1959, puis premier adjoint au maire, le « tombeur » de Louis Bazerque réussira un second exploit en 1977 : se faire réélire...

Indépendant obstiné, Pierre Baudis est toujours resté en dehors des instances giscardiennes. Au Palais-Bourbon, où il siège depuis 1958 (avec une interruption de 1967 à 1968), il n'était qu'apparenté au groupe P.R. jusqu'en 1977. Tout récemment, il a succédé à Fernand Icart à la présidence de la commission des finances de l'Assemblée : un poste très convoité, qui le console un peu de la promotion ministérielle de son propre adjoint et ex-suppléant Marcel Cavaillé.

Autre fierté pour le maire de Toulouse : son fils Dominique, ancien jeune espoir du Centre démocrate, aujourd'hui grand reporter à T.F.1.

Beauguitte, André

*La IIIe, la IVe et la Ve*

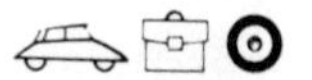

Valéry Giscard d'Estaing n'a que neuf ans lorsque André Beaugitte est déjà ministre. Celui qui fut le plus jeune sous-préfet de France (à vingt-quatre ans), élu député de la Meuse en 1932, sous-secrétaire d'État à l'Intérieur dans le cabinet Sarraut en 1935, voit sa carrière brutalement interrompue en 1940. Cette année-là, il est de ceux qui votent les pleins pouvoirs au maréchal Pétain. Il lui faudra attendre seize ans pour être réélu, toujours dans la Meuse, dans la circonscription de Verdun – ville dont il sera maire de 1965 à 1977.

Cinq fois lauréat de l'Académie française (cet ancien journaliste fut romancier et historien à ses heures perdues), André Beauguitte n'a plus jamais quitté le Palais-Bourbon, et sollicite, à soixante-seize ans, le renouvellement de son long mandat. Ce qui n'est pas du goût de la direction de son parti.

Benoist, Jean-Marie

Marx est mort

Dans un de ces titres dont il a le secret, *Le Quotidien de Paris* a défini ainsi la démarche de ce nouveau philosophe saisi par l'aventure électorale: « Jean-Marie Benoist a trouvé son chemin de Carpentras. » C'est après un discours remarqué de Giscard dans cette ville, en effet, que le petit-fils de Jules Guesde est devenu giscardien.

Normalien, agrégé de philo, ce jeune homme tranquille a séjourné huit ans à Londres, comme professeur puis comme attaché culturel à l'ambassade de France. C'est là qu'il écrit son premier livre, qui en fera un précurseur de la nouvelle vague philosophique anticonformiste: *Marx est mort* (1970). Il devait achever avant les élections de mars 1978 deux autres livres: *Un singulier programme* (c'est du Programme commun qu'il s'agit), et *Les Nouveaux Primaires*.

Cet intellectuel qui déclarait il n'y a pas si longtemps « refuser de choisir entre les deux blocs » a donc fait son choix: il se jette dans la bataille électorale, sous les couleurs du P.R., pour poursuivre son combat d'idées, dit-il, sur le terrain. Il faut dire que son adversaire n'a pas été choisi au hasard, puisqu'il s'agit de... Georges Marchais.

Bérest, Eugène

En rade DC

« Bérest pour Brest ! » Est-ce pour n'avoir pas utilisé le slogan que lui suggérait Christian Bonnet, dans un conseil politique des R.I. de décembre 1976, qu'il a perdu sa mairie bretonne lors des dernières élections municipales ? Le futur ministre de l'Intérieur ne pensait pas, alors, que la poussée socialiste et, surtout, les divisions de la majorité, allaient créer la surprise, et priver Eugène Bérest, adhérent R.I. de fraîche date, d'une mairie fort disputée.

Ce professeur agrégé, ancien militant de la Jeune République, élu maire adjoint en 1965 puis maire en 1973, a curieusement retrouvé dans cette amère défaite une vocation de militant de base, d'autant plus actif qu'il espère compenser son échec municipal par un mandat de député en 1978.

Pour illustrer son engagement politique dans les rangs giscardo-centristes, Eugène Bérest a cette formule : « J'ai passé deux ans en Tchécoslovaquie, de 1948 à 1950, j'en suis revenu anticommuniste primaire. J'ai passé deux ans en Argentine sous le régime de Perõn, en 1950 et 1951, et j'en suis revenu antifasciste primaire. »

Bettencourt, André

Duc de Normandie

Ancien secrétaire d'État de Pierre Mendès France (il sera sept fois ministre), André Bettencourt a fait connaissance avec le suffrage universel, pour la première fois, à la Libération, en se faisant élire maire de son village natal, dans ce département qui s'appelait alors la Seine-Inférieure. A cette époque, il lance un journal, *La France agricole*, destiné à faire pièce au quotidien agricole communiste *La Terre.* Il est à ce moment un des dirigeants de la Jeunesse agricole chrétienne (J.A.C.).

Élu député indépendant en 1951, il a toujours été réélu à l'Assemblée Nationale, jusqu'à ce qu'il se présente, avec succès, aux sénatoriales de 1977. Président du conseil régional de Haute-Normandie, il est un des trois « ducs de Normandie », avec Jean Lecanuet et, plus récemment, Michel d'Ornano.

Celui qui fut, en 1966, l'un des douze signataires des statuts de la F.N.R.I., est resté fondamentalement un « indépendant », peu enclin à l'action partisane. Très lié aux Pompidou, il soutint sans hésitation, en 1974, son ami Valéry Giscard d'Estaing.

A cinquante-huit ans, André Bettencourt continue de se promener avec nonchalance dans les allées du pouvoir, toujours prêt à quelque mission de confiance. Il fut ainsi pressenti, début 1975, pour racheter *Le Figaro* à Jean Prouvost ; il en avait les moyens (il a épousé jadis la fille unique du fondateur de *L'Oréal*), mais Robert Hersant fut plus rapide que lui, parce que plus motivé sans doute. En octobre 1977, lorsque le président de la République décide de montrer l'importance que la France accorde à la Conférence de Belgrade, il confie *in extremis* la conduite de la délégation française à cet homme distingué et affable, que sa vague ressemblance avec Maurice Couve de Murville rend plus diplomate que nature.

Blanc, Jacques

Un espoir du giscardisme 

Jeune neuropsychiatre à l'accent chantant, Jacques Blanc a le contact facile. Son naturel chaleureux, son franc-parler, son sens des réalités quotidiennes, peut-être aussi son petit air de ressemblance avec le « lieutenant Colombo » de la télé, ont contribué à le faire élire successivement conseiller général de la Lozère (à trente et un ans), puis maire de La Canourgue, puis député (à trente-quatre ans). Il ne lui restait plus qu'à couronner cette rapide carrière en entrant au gouvernement, ce qu'il fit (à trente-huit ans) en héritant du secrétariat d'État auprès du ministre de l'Agriculture. Celui-ci, Pierre Méhaignerie, n'est d'ailleurs son aîné que de cinq mois : un tandem d'une étonnante jeunesse !

Avant d'accéder aux plus hautes responsabilités, cet ancien médecin de campagne s'était surtout consacré aux handicapés, et plus spécialement au centre pour grands handicapés de Booz, en Auvergne, que Giscard a tenu à visiter au lendemain de son élection à l'Élysée. C'est aussi Jacques Blanc, en 1975, qui fut le rapporteur du projet de loi d'orientation sur les handicapés.

Au sein des giscardiens, dont il est un des « espoirs », il est membre du bureau politique du P.R. comme il l'avait été chez les R.I.

Ce qui le caractérise : l'impatience.

Blum, Roland

Devine qui vient dîner (1974)

Pendant la campagne présidentielle de 1974, le candidat Giscard d'Estaing s'est arrêté, un soir, chez son ami Pierre Blum, président du port autonome de Marseille. A sa table, entre Paul Dijoud et le président de la Chambre de commerce, le fils du maître de maison, Roland. Jeune avocat de trente ans, il décide ce soir-là de s'engager derrière Giscard, avec le même entrain qui l'avait poussé dans les luttes étudiantes de mai 68. En juin 1975, Roland Blum devient permanent du parti, comme chargé de mission régional des Républicains indépendants. Une tâche difficile dans cet ensemble Provence-Côte d'Azur, qui demande beaucoup de doigté et d'obstination. Son efficacité le fait remarquer par les dirigeants nationaux, et c'est lui qui vient assister Alain Griotteray, fin 1977, à la délégation aux élections du parti républicain.

Boisdé, Raymond

Le renard argenté

La perte de sa mairie de Bourges, qu'il détenait depuis près de vingt ans, a signifié à Raymond Boisdé la fin de son règne sans partage sur la cité de Jacques Cœur. Élu député du Cher dès 1951, celui que les Berruyers ont surnommé le « renard argenté » et qui ressemble tant à Maurice Chevalier, avait imposé un style de gestion très autocratique.

Cet ancien ingénieur vendéen, également ancien gaulliste, a été vice-président de la F.N.R.I. dès sa fondation, en 1966. Pourtant, dix ans plus tard, la fédération départementale des R.I. du Cher, qu'il anime, n'a toujours pas dépassé la demi-douzaine d'adhérents. Ce grand seigneur s'est toujours méfié de son entourage, et a découragé aussi soigneusement les militants potentiels que tous ses successeurs possibles, tels Olivier Giscard d'Estaing, Denis Riant ou Christian Gérondeau. A soixante-dix-huit ans, le doyen du groupe P.R. ne se sent pas mûr pour la retraite. A moins que Jean-François Deniau, nouveau prétendant à sa succession, ne parvienne à le convaincre...

Bonnet, Christian

L'abonné du premier tour 

Que ce soit comme maire de Carnac (depuis 1964), comme conseiller général de Belle-Ile (depuis 1958), ou comme député du Morbihan (depuis 1956), Christian Bonnet a constamment été réélu au premier tour de chaque scrutin : une performance !

Solidement implanté en Bretagne, cet homme politique traditionnel, ancien démocrate chrétien, semble se complaire dans une certaine grisaille. Alors que tous ceux qui le connaissent savent que derrière ses costumes stricts et son air de surveillant général se dissimule une certaine fantaisie : ses talents d'imitateur et de bruiteur sont désormais bien connus des journalistes. Ce politicien confirmé, qui créa avec Valéry Giscard d'Estaing, en 1956, un groupe de jeunes députés, allie une sincérité abrupte à une ironie parfois dévastatrice. C'est lui, en 1976, qui s'attira les foudres des viticulteurs du Languedoc en leur reprochant de produire essentiellement de la « bibine »: pour un ministre de l'Agriculture, ce type de vérités n'est pas toujours de bon aloi.

Attaché depuis 1967 à la personne de Giscard, Christian Bonnet a entrepris dès 1972 une carrière ministérielle ininterrompue. Lorsque Michel Poniatowski quitte le ministère de l'Intérieur, un an avant l'échéance de mars 1978, c'est à lui que le président confie le « ministère des élections ». Il y poursuit un objectif précis : gagner les élections législatives, en évitant tout accrochage avec les gaullistes et, en particulier, les « petites phrases » dont son prédécesseur s'était fait une spécialité.

Boscary-Monsservin, Roland

Indépendance d'abord

Élu député C.N.I. de Rodez en 1951, Roland Boscary-Monsservin a été constamment réélu au premier tour jusqu'en 1971. Après vingt années passées à l'Assemblée nationale, le voilà depuis six ans au Sénat.

Vieux pilier du C.N.I., Roland Boscary-Monsservin a été, en 1962, un des pères fondateurs du groupe R.I. au Parlement. Soutenant Giscard avec la tendresse que l'on a pour un petit-fils turbulent, il a toutefois appelé à voter « oui » au référendum de 1969. Ce notable traditionnel de soixante-treize ans, maire de Rodez depuis 1965, qui bénéficie d'une bonne implantation personnelle, n'a pas réussi à faire élire, en 1971, son candidat Marc Censi, battu par le centriste Jean Briane, tout comme Olivier Giscard d'Estaing le fut en 1973. L'absence d'une structure militante, dont s'est toujours méfié Roland Boscary-Monsservin, a coûté aux giscardiens cette circonscription.

Avocat et exploitant agricole, il fut le ministre de l'agriculture des deux derniers gouvernements de la IVe République (Félix Gaillard et Pierre Pfimlin) et président de la Commission de l'agriculture de l'Assemblée européenne de 1960 à 1971. En quelque sorte, l'avocat de l'agriculture.

Bourgoing, Philippe de

Le baron consciencieux 

Conseiller municipal de Tracy-sur-Mer depuis 1948, maire de ce bourg normand depuis 1950, conseiller général du canton de Ryes depuis 1963, sénateur du Calvados depuis 1970, président du groupe des sénateurs giscardiens depuis 1974 : Philippe de Bourgoing a poursuivi la carrière tranquille d'un notable de province, sans jamais se mêler au concert discordant de la vie politique parisienne. Il se fera même prier, en 1974, avant d'accepter la présidence du groupe R.I. au Sénat.

Le baron de Bourgoing, agriculteur-éleveur

comme l'était son père, promène sa haute silhouette dans les enceintes giscardiennes, avec la courtoisie et la réserve qui sied à un sénateur consciencieux.

Boyer, Jean

Horizon 83 ⚔ ⊙

10 000 puzzles représentant sa circonscription, 4 000 jeux de cartes portant son portrait : ce sont les deux trouvailles de Jean Boyer, à la veille de sa campagne électorale de 1978. Inventif, méthodique, efficace, parfaitement secondé par sa femme, ce petit industriel du textile est entré dans la vie publique presque par hasard. Ami d'Aimé Paquet pour lequel il avait collé des affiches, il avait fondé une société de musique dans les années cinquante (la première passion, avec la montagne, de ce compatriote d'Hector Berlioz) et en tirait une certaine notoriété locale : Aimé Paquet lui proposa de se présenter aux élections cantonales de 1958. Élu, il est pris dans l'engrenage politique : maire de Gillonay depuis 1965, battu aux législatives de 1967, mais élu à celles de 1968, il est réélu député en 1973. Il est aujourd'hui questeur à l'Assemblée nationale.

Curieusement, à cinquante-quatre ans, Jean Boyer pense déjà à sa succession. Convaincu que la politique est l'affaire des jeunes, il a déjà choisi un agriculteur d'une trentaine d'années, dont il a fait son adjoint à la mairie en 1977, pour le présenter comme son successeur aux législatives de... 1983 !

Ami de Valéry Giscard d'Estaing, cet homme

plein de chaleur est le prototype de l'élu local bien implanté, accordant beaucoup de temps à sa circonscription, harcelant l'administration, à la fois bâtisseur, conseiller juridique et assistante sociale.

Jean Boyer est également président de l'amicale parlementaire des bouilleurs de cru.

Boyer-Andrivet, Jacques

Girondin

C'est en 1966 que Jacques Boyer-Andrivet, suppléant de Robert Boulin rappelé au gouvernement, entre à l'Assemblée nationale. Cinq ans plus tard, il devient sénateur, à l'issue d'une excellente campagne auprès des élus de la Gironde – le département de Jacques Chaban-Delmas, alors premier ministre.

Viticulteur, fils de viticulteur, il anime à la fois la Fédération départementale des exploitants agricoles et celle des coopératives de la Gironde.

Ce notable distingué poursuit, non sans quelques états d'âme, une carrière tranquille qui l'a conduit au Parlement européen et, récemment, à la vice-présidence du Sénat. Resté très « indépendant » de tempérament, Jacques Boyer-Andrivet est giscardien à Paris... et girondin à Bordeaux.

Brémond d'Ars, Georges de

Le commis-voyageur des clubs 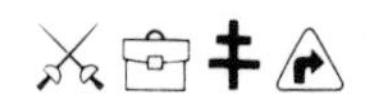

Le nouveau secrétaire général de la Fédération nationale des clubs Perspectives et Réalités (son élection date de l'automne 1977), Georges de Brémond d'Ars, est déjà un ancien des *clubs*. C'est en 1967, en effet, qu'il créa l'un des premiers clubs Perspectives et Réalités dans sa ville de Saintes, en Charente-Maritime. A vingt-trois ans.

L'ancien étudiant que déçurent jadis le P.S.U. et les jeunes gaullistes de l'U.J.P. devint rapidement un des piliers de cette nouvelle organisation. De ville en ville, ce commis-voyageur du giscardisme avancé, au profil d'hidalgo et aux éternels costumes sombres, a passé des années à la recherche de jeunes cadres ambitieux et réformistes, capables d'animer des réunions et de pousser à la réflexion politique une clientèle peu attirée par l'action partisane. Pendant ces trois dernières années, le brun Georges de Brémond d'Ars et le blond Philippe Pontet, respectivement secrétaire général adjoint et secrétaire général des clubs, ont formé un tandem efficace, élargissant sans cesse leur réseau de relations politiques nationales ou régionales : quel responsable public, hormis ceux de l'opposition, n'a jamais animé, en dix ans, une réunion des clubs giscardiens ?

Brocard, Jean

La mer et la montagne 

Général de réserve et grand fumeur de pipe, Jean Brocard a joué essentiellement, jusqu'à présent, un rôle parlementaire. Président du groupe R.I. en 1974 avant d'être remplacé à ce poste par Roger Chinaud, il a été élu en 1977 vice-président de l'Assemblée nationale.

C'est en 1965 que ce contrôleur général des armées, ex-commissaire de la marine nationale, a adhéré au tout premier club Perspectives et Réalités créé à Paris par Valéry Giscard d'Estaing. En 1968, il se présente avec succès aux législatives en Haute-Savoie, d'où sa femme est originaire. Il deviendra conseiller général (en 1973) et maire d'Annecy-le-Vieux (en 1977). Ce Savoyard par alliance et par élection est l'auteur d'un récent rapport sur l'aménagement de la montagne. Il est aussi secrétaire national du P.R. chargé des problèmes des Anciens Combattants.

Brunel, Chantal

Volontaire 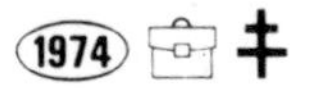

Fille d'un pédiatre parisien, Chantal Zourbas a épousé en 1972 la carrière politique en même temps que son mari, Denys Brunel. Celui-ci fut président des Jeunes Républicains indépendants avant d'échanger, en 1971, son avenir politique contre une brillante carrière dans les affaires: à trente-deux ans il était P.-D.G. de Vichy-Distribution et cumule aujourd'hui de nombreuses responsabilités dans le groupe Perrier.

Après avoir fréquenté le club gaulliste Nouvelle Frontière et les cabinets de Jean Foyer et Olivier Guichard (U.D.R.), Chantal Brunel découvre les arcanes du giscardisme en entrant, en 1973, au cabinet de Michel Poniatowski. Elle y noue d'utiles contacts et, lorsque « Ponia » quitte le ministère de l'Intérieur en 1976, elle reste place Beauvau dans l'équipe de Christian Bonnet. Entre-temps, elle s'est fait élire conseiller municipal dans un village du Loiret, où elle a à la fois des attaches familiales et... des ambitions législatives.

D'apparence timide et sage, cette jolie brune de vingt-neuf ans sait se montrer volontaire, voire agressive, lorsque les intérêts de « son » ministre sont en jeu. Elle allie le charme et l'efficacité, deux vertus très complémentaires dans un milieu réputé pour sa misogynie.

Bussereau, Dominique

Apprentissage politique

Adhérent des J.R.I. à l'âge de dix-huit ans, ce Tourangeau, qui a toujours conservé un peu de terre à ses semelles, provoqua une relative surprise, en septembre 1974, lorsque les Jeunes Giscardiens en firent à la fois leur président et leur porte-parole. A vingt-deux ans, il réussit une belle opération de relations publiques en faisant prendre peu à peu au sérieux, au niveau national, les jeunes qui soutiennent le nouveau président de la République. Grâce à d'étonnantes facilités d'expression, grâce à une solide équipe réunie autour de lui à la tête de G.S.L., grâce au soutien personnel de Giscard qui apprécie ce qu'il fait pour lui, Dominique Bussereau gagne rapidement ses galons de jeune leader politique. Dans les innombrables débats sur « les jeunes et la politique », il se taille régulièrement un petit succès d'estime face à ses homologues des autres formations qui, tels Robert Grossmann (U.D.R.), Édith Cresson (P.S.), ou Jean-Michel Catala (P.C.) ont près de quinze ans de plus que lui.

En 1977, le P.R. absorbe les G.S.L. Au congrès de Fréjus, les jeunes « font la salle », avec un peu trop d'ostentation aux yeux des dirigeants « adultes ». Dominique Bussereau, qui devient secrétaire de bureau politique du nouveau parti, commence son véritable apprentissage politique, avec tout ce que cela comporte de réussites fugitives et d'échecs plus durables.

Celui qui renonça à se présenter à l'E.N.A., alors que ses résultats de Sciences Po lui permettaient d'espérer une brillante carrière de haut fonctionnaire, a choisi l'aventure politique. Pour le meilleur et pour le pire.

Cabanel, Guy

Le doyen décontracté ⊙

La cinquantaine avantageuse, Guy Cabanel promène dans la vie sa décontraction et son physique de play-boy comme deux fleurons d'une réussite facile. Doyen à quarante-deux ans de la Faculté de médecine de Grenoble, c'est la politique qui achève de consacrer ce rapatrié d'Algérie. Tête de liste malchanceux contre Hubert Dubedout aux municipales de 1971, il est choisi comme suppléant par Aimé Paquet, le futur médiateur, qui lui abandonnera son siège deux ans plus tard en entrant au gouvernement.

Guy Cabanel, inscrit au groupe P.R. de l'Assemblée, est aussi membre du Nouveau Contrat social, où il a conduit la réflexion sur le financement des partis politiques. C'est aussi l'un des plus ardents défenseurs du scrutin proportionnel. Ce spécialiste en rhumatologie préside en outre le groupe parlementaire du thermalisme.

Calvet, Jacques

L'ordinateur

En 1959, lorsqu'un député de trente-quatre ans nommé Valéry Giscard d'Estaing entre au gouvernement, un jeune homme de vingt-huit ans, énarque comme lui, entre à son cabinet. Tout le temps que Giscard passera rue de Rivoli, il gardera auprès de lui Jacques Calvet. Homme de chiffres, technicien froid et rigoureux de l'économie, il est la « mémoire » de Giscard, infaillible et omnisciente : lorsqu'il fut directeur du cabinet du ministre des Finances, il connaissait par cœur, dit-on, la moindre ligne du budget de la nation. Un véritable ordinateur.

Depuis l'élection présidentielle, Jacques Calvet a abandonné la haute administration (il occupe d'importantes fonctions à la B.N.P.) ; mais son nom revient régulièrement, à chaque remaniement ministériel, comme un possible ministre des Finances. Mieux, lorsque Jacques Chirac quitta l'hôtel Matignon en 1976, son nom figura parmi les éventuels successeurs. Ce fut Raymond Barre qui fut appelé. Ce qui ne veut pas dire que Jacques Calvet ne reviendra pas un jour aux affaires.

Cannac, Yves

Le diamant noir

Cacique à Normale sup, premier à l'agrégation d'histoire, major à l'E.N.A. et, même, premier prix de français au Concours général : Yves Cannac ne pouvait pas ne pas être appelé, tôt ou tard, auprès de Valéry Giscard d'Estaing, si désireux de s'entourer des cerveaux les plus cotés du monde administratif et politique.

Avant de devenir directeur adjoint du cabinet du ministre des Finances, en 1973, puis secrétaire général adjoint de la présidence de la République, Yves Cannac s'était engagé dans les allées du pouvoir aux côtés de Jacques Chaban-Delmas, alors à Matignon, qui l'appelait son « diamant noir ». Giscardien tardif, il avait eu également de vives sympathies de gauche à Normale sup.

Cette belle mécanique intellectuelle est aussi réputée pour son efficacité. Éclectique, Yves Cannac est aussi à l'aise pour préparer un discours, traiter un dossier technique ou réfléchir à l'avenir de la culture française.

Il a quarante-deux ans. Et de l'ambition.

Cavaillé, Marcel

L'avocat de « Concorde » 

C'est en octobre 1962 que Marcel Cavaillé, ingénieur E.D.F., entre en politique en tant que suppléant du député Pierre Baudis. Conseiller municipal, puis adjoint à la mairie de Toulouse (dont le maire est également Pierre Baudis), il se fait élire sénateur en 1971. Cette carrière discrète connaît une brusque accélération en 1974, lorsque Valéry Giscard d'Estaing le fait entrer au gouvernement, comme secrétaire d'État aux transports : pour ses électeurs de la S.N.I.A.S. comme pour tous les Français, Marcel Cavaillé devint « Monsieur Concorde », la promotion du supersonique franco-britannique constituant l'une de ses attributions premières.

Ce quinquagénaire affable, président de la fédération P.R. de Haute-Garonne, est aussi un ministre très sportif : entre midi et quatorze heures, il lui arrive de rejoindre les membres de son cabinet pour d'acharnées parties de volley-ball.

Chain, Anne

Vingt ans avec Ponia

Bretonne bretonnante, Anne Chain est, depuis près de vingt ans, la « fidèle et dévouée secrétaire », de Michel Poniatowski. C'est dire tous les secrets dont est dépositaire cette petite femme brune et énergique : on ne voit pas Ponia sans passer par Mme Chain, qui ne fait pas mystère de son admiration sans borne pour son patron.

Il fut un temps où, une fois par semaine, un déjeuner réunissait Mme Chain et Mme Villetelle, la secrétaire de Valéry Giscard d'Estaing. Leurs voisins de table pouvaient-ils imaginer que ces deux convives détenaient, d'une certaine manière, les clefs du pouvoir ?

Chamant, Jean

Le roi Jean

Élu sous l'étiquette républicain indépendant en... 1946, Jean Chamant a toujours été plus indépendant que giscardien. S'il a fait partie du petit groupe de parlementaires qui entourèrent Giscard dès 1972, s'il a même été vice-président dans le premier bureau de la F.N.R.I., en 1966, il s'est ensuite démarqué, à plusieurs reprises, de son leader. En 1967, l'année du « oui, mais » et des critiques giscardiennes à l'encontre de l'« exercice solitaire du pouvoir », Jean Chamant est de ces ministres R.I., qui se désolidarisent de leur chef de file pour coller au général de Gaulle.

Tout en participant au gouvernement Edgar Faure (sous la IVe République), puis à ceux de Georges Pompidou, Maurice Couve de Murville et Jacques Chaban-Delmas, Jean Chamant s'est surtout bâti une réputation, un personnage et un royaume dans l'Yonne, où il est surnommé le « roi Jean ». Dans ce département où il règne depuis plus de trente ans – et où il vient de se faire réélire pour neuf ans aux sénatoriales – Jean Chamant n'a pas que des amis parmi les indépendants. Est-ce parce que l'actuel secrétaire général du P.R., Jean-Pierre Soisson, a réussi à s'implanter à Auxerre, c'est-à-dire dans son fief ? Est-ce parce que, pour entrer au Sénat, il dut battre le sénateur P.R. sortant Odette Pagani ? Toujours est-il que Jean Chamant est aujourd'hui beaucoup plus proche du C.N.I. que de ses anciens collègues giscardiens, qui ne considèrent plus cet avocat bourguignon comme l'un des leurs.

Chapot, Victor

Les cordons de la bourse

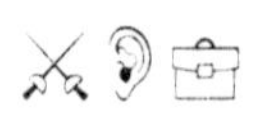

Le secret personnifié, la discrétion incarnée, Victor Chapot suscite depuis dix ans la curiosité des journalistes : chef de cabinet de Giscard dès 1959, cet homme affable et peu bavard est devenu en 1966 le grand argentier des giscardiens. Depuis cette date, il est régulièrement « coopté » dans les instances nationales des R.I. puis du P.R. S'il a abandonné son rôle de trésorier du parti après son entrée, dans la foulée de V.G.E., à la présidence de la République, il continue néanmoins à jouer un rôle non négligeable dans la conduite des affaires giscardiennes ; il est de surcroît un des artisans du rapprochement avec les radicaux de gauche.

Soixante et un ans, trésorier-payeur général, conseiller d'État, Victor Chapot reste, et restera encore longtemps, un personnage entouré de mystère.

Charette, Hervé de

Objectif: Parlement

Directeur du cabinet du ministre du Travail, président de l'Office d'immigration, maître des requêtes au Conseil d'État, Hervé de Charette de la Contrie arrive, à trente-neuf ans, à un tournant de sa carrière. Ce haut fonctionnaire sérieux (« triste comme un bonnet de nuit », disent ses collègues) veut faire de la politique. Sa chance : l'intérêt que lui porte le président de la République en personne, soucieux qu'« on » lui trouve une « bonne » circonscription. S'il est élu, un poste de secrétaire d'État pourrait couronner son ambition.

Secrétaire national du P.R. (auquel il a adhéré en 1977), chargé des problèmes de défense, Hervé de Charette ne fait preuve d'aucun nationalisme de parti. Il a simplement choisi son camp. Dans le camp adverse figure d'ailleurs son cousin, le « juge rouge » qui s'illustra en emprisonnant un patron à la suite de l'accident de travail d'un de ses ouvriers.

Charretier, Maurice

L'hôte de Carpentras 

Si le président de la République est venu prononcer son important discours du 9 juillet 1977 à Carpentras, ce n'est pas seulement pour se rapprocher des rapatriés auxquels il consacrait l'essentiel de ses propos. Il tenait aussi à marquer son soutien au maire de la ville, Maurice Charretier, qui tentera, en 1978, de conquérir cette circonscription du Vaucluse détenue par les socialistes depuis la guerre. En outre, Valéry Giscard d'Estaing apprécie ce maire de centre-gauche élu en 1965, jadis sympathisant socialiste, qui a rejoint les giscardiens lors de la campagne présidentielle. Très lié à Paul Dijoud, il ne se sent guère d'affinités pour les gaullistes, ni pour les indépendants les plus à droite.

Plein d'humour, poète à ses heures, cet avocat de cinquante et un ans, ancien résistant du Vercors, siège aujourd'hui au bureau politique du P.R., dont il est aussi secrétaire national à la justice. S'il mène à bien son combat législatif, il pourrait prendre place parmi les « ministrables » du P.R.

Chavagnac, Aude de

Douce-amère

Attachée de presse des Républicains indépendants en 1974 et 1975, parente éloignée de Michel Poniatowski, Aude de Chavagnac a toujours entretenu avec les journalistes des relations douces-amères. Efficace et décontractée, elle a une qualité rare dans son métier : elle dit ce qu'elle pense.

Animée d'une solide conviction giscardienne, elle quitte néanmoins la rue de la Bienfaisance en 1975 pour les couloirs des palais nationaux : elle entre au cabinet de Gérard Ducray, alors secrétaire d'État au tourisme, puis devient chef de cabinet (à vingt-neuf ans) du secrétaire d'État aux Affaires étrangères, Pierre-Christian Taittinger.

Chinaud, Roger

L'apparatchik-président 

Homme de parti, homme de l'ombre, apparatchik, Roger Chinaud s'est métamorphosé en homme public, d'abord comme secrétaire général des R.I., puis comme président du groupe parlementaire giscardien.

Plus discrètement que d'autres, plus efficacement aussi, Roger Chinaud a travaillé avec une ardeur sans faille à l'élection de Valéry Giscard d'Estaing. Homme de terrain, ce parfait connaisseur de la France politique et électorale a patiemment tissé la toile des relais régionaux et locaux du parti giscardien : cette toile qui permit à Giscard, malgré une machine électorale très légère, de bénéficier d'hommes de confiance, simples militants ou élus de tous niveaux, sur l'ensemble du territoire.

Un embonpoint rassurant de notable modéré, une demi-calvitie qui n'arrive pas à vieillir ce visage immanquablement qualifié de poupin, Roger

Chinaud déploie aujourd'hui la même inlassable activité sur le plan parlementaire. Président du groupe R.I. depuis 1975, lui qui n'a été élu qu'en 1973 (à trente-neuf ans), il donne l'impression d'un vieux parlementaire chevronné se mouvant avec délectation dans les tours et les détours du Palais-Bourbon. D'une habileté redoutable, habitué à manipuler depuis des années les situations électorales des autres, il exerce désormais ses talents au milieu des susceptibilités nationales et parlementaires, en usant (et en abusant souvent) de périphrases, de sous-entendus et d'allusions — l'héritage d'une période où la ruse était une qualité indispensable. Bon an, mal an, il a réussi à faire d'un groupe d'indépendants un groupe de... giscardiens, violant parfois son tempérament enclin à l'ordre et à la mesure, pour appuyer les projets de réformes de celui qui, plus que le président de la République, demeure son patron.

Père de quatre garçons, amoureux de la chasse et de la peinture (on n'est pas impunément député de Montmartre), Roger Chinaud reste fidèle à ses engagements de jeunesse qui l'ont conduit à fréquenter notamment les milieux européens : il fut jadis vice-président des Jeunesses fédéralistes européennes, puis délégué national du Mouvement national des élus locaux. Lui qui fut un temps gaulliste, se réclame d'un double parrainage : celui du démocrate-chrétien Maurice Schumann, et de l'indépendant Bertrand Motte. Deux noms depuis longtemps remplacés, dans l'ordre des fidélités, par ceux de Valéry Giscard d'Estaing et de Michel Poniatowski.

Clermont-Tonnerre, Henri de

Copain de régiment

Ami personnel de Valéry Giscard d'Estaing (les deux hommes se sont connus en 1944 au 2e régiment de dragons), c'est à la demande expresse de celui-ci qu'Henri de Clermont-Tonnerre est devenu trésorier national des R.I., en octobre 1976 – fonction qu'il continue d'assumer au P.R., avec toute la discrétion requise. Pour lui, cette mission de confiance est aussi une manière de s'engager aux côtés des libéraux. Aucune ambition politique ne l'agite, ce qui est pour le moins une originalité dans ce milieu.

Distingué, souriant, Henri de Clermont-Tonnerre est le gendre de l'armateur (et ancien sénateur) Laurent Schiaffino, et dirige lui-même une compagnie de navigation.

Clouet, Jean

L'homme fort de Vincennes

Président et administrateur de plusieurs sociétés (dans la construction automobile et les travaux publics), Jean Clouet est un ancien haut fonctionnaire, issu de l'E.N.A. qui fréquenta notamment les cabinets ministériels d'Henri Cavaillet et de Robert Buron.

En 1971, il se fait élire maire de Vincennes, marchant ainsi sur les traces de son père, qui fut jadis maire adjoint à l'ombre de l'illustre château. Ce giscardien de longue date prêta sa mairie, en juin 1973, pour recevoir les journées « A la rencontre de la France » organisées par les R.I.

Conseiller général du Val-de-Marne depuis 1976, Jean Clouet vise depuis longtemps le siège de député du gaulliste Robert-André Vivien.

Coulais, Claude

La mairie de Nancy 

Nombreux sont les indépendants (R.I. ou C.N.I.) qui ont tenté, sans grand succès, de s'implanter durablement à Nancy. Claude Coulais, vendéen de naissance, semble y être parvenu : conseiller municipal (1965), conseiller général (1970), puis député (1973), il a conquis de haute lutte la mairie de cette ville en mars 1977.

Fils de représentant, nanti d'une simple licence en droit, Claude Coulais a multiplié, au fil des ans, les mandats associatifs locaux, ceux qui assurent la considération des administrés... et les réélections.

Son expérience des dossiers industriels, énergétiques et écologiques, ainsi que sa fidélité à Giscard, lui valent d'être appelé au gouvernement, en 1976, lorsque Michel d'Ornano, alors ministre de l'Industrie et candidat à la mairie de Paris, obtient la création d'un secrétariat d'État chargé de le seconder. Le président n'avait pas oublié celui qui travailla à son cabinet, rue de Rivoli, de 1970 à 1973.

Une compétition qui n'a rien d'électorale, celle-là, retiendra aussi l'attention de Claude Coulais en 1978 : la coupe du monde de football. Le maire de Nancy est l'un des fondateurs de l'A.S. Nancy-Lorraine, et par conséquent un fervent supporter de Michel Platini.

Dalinval, Maurice

L'entomologiste 

Tard dans la nuit du 19 mai 1974, alors que la petite rue de la Bienfaisance se vide lentement, Maurice Dalinval fête à sa manière la victoire de son candidat : il rase sa barbe et l'abandonne à ses admiratrices qui furent, pendant un mois et demi, ses assistantes. Bombardé dès le premier jour chef de presse du P.C. de campagne de V.G.E., il survolera cette période mouvementée avec une courtoisie et un flegme souvent mêlés d'un brin d'étonnement amusé.

Maurice Dalinval traverse la politique à pas lents, la pipe au bec, avec le regard curieux d'un entomologiste au milieu d'une fourmilière. C'est au service de Giscard, et non à celui des giscardiens, qu'il met ses divers talents : journaliste, il dirige l'organe du parti, *France moderne*, d'avril 1966 à octobre 1968, puis tentera de le relancer en 1975 ; publicitaire, il est toujours prêt à donner un conseil, à préparer un projet ou une campagne pour Valéry Giscard d'Estaing – on lui doit, par exemple, le petit mot manuscrit du ministre des Finances au contribuable au bas de la déclaration d'impôts...

Il fut l'un des rares participants au petit groupe

de réflexion qui prépara, fin 1968 et début 1969, la campagne présidentielle de Valéry Giscard d'Estaing prévue pour... 1972. L'annonce du référendum d'avril 1969 allait bouleverser ces plans. C'est Dalinval qui conçut la campagne du *non* giscardien à ce référendum historique.

Homme de relations publiques et privées, adorant recevoir à sa table les personnalités les plus diverses, collectionneur forcené de journaux anciens, d'affiches et d'autographes, Maurice Dalinval vient de publier un ouvrage remarqué : *Une autre idée des Français.*

Degrémont, Éric

Poniatowskien 

Éric Degrémont est poniatowskien avant d'être giscardien. Pour Michel Poniatowski, qu'il a connu de bonne heure, il éprouve un attachement personnel, une admiration certaine et une certaine fascination. De la gratitude aussi : lorsqu'il était jeune administrateur en Nouvelle-Calédonie (dans les îles de la Loyauté, on le surnommait le « shériff »), il s'était heurté à certaines personnalités gaullistes aux relations haut placées : il serait peut-être confiné aujourd'hui encore dans un obscur bureau du ministère de la Santé si Michel Poniatowski n'était venu l'y rechercher avant d'en faire, en 1974, son chef de cabinet place Beauvau.

Un regard malicieux, un physique d'éternel collégien anglais, une parfaite maîtrise de soi et un dévouement sans limites à son patron, Éric

Degrémont attend aujourd'hui, à la sous-préfecture de Senlis, le retour aux affaires de « Ponia ». On reverra sans doute alors ce jeune homme cultivé, discret et efficace, dont la vie ne se limite pas, loin de là, à la politique : il est, par exemple, correspondant bénévole de S.O.S.-Amitié – et ne s'en vante pas.

Delaneau, Jean

La médecine libérale ⊙ ︽

Membre du bureau politique du P.R., Jean Delaneau est l'actuel spécialiste des questions médicales du parti (dont il est aussi secrétaire national), et un farouche défenseur de la médecine libérale.

Ce chirurgien de quarante-quatre ans à l'allure timide, maire de Château-Renault depuis 1967, conseiller général d'Indre-et-Loire depuis 1970, est entré au Parlement en 1974 par la petite porte : Pierre Lepage, dont il était le suppléant, est décédé. Ce qui ne l'a pas empêché de se faire apprécier de ses collègues du groupe P.R., dont il est aujourd'hui le secrétaire général sous la présidence de Roger Chinaud, lui aussi nouveau venu au Palais-Bourbon.

Fils d'un ouvrier manœuvre de Saint-Marcel (Indre), le Dr Delaneau a fait la preuve qu'on pouvait réussir dans la politique en alliant l'honnêteté et la discrétion. Jusqu'à un certain point : sa modestie lui a valu d'être « oublié » au dernier moment, dans la vague des jeunes secrétaires d'État promus en 1977.

Delmas, François

Le Pinay du Languedoc 

Un hôtel de ville flambant neuf : voilà ce qu'a notamment laissé François Delmas à son vainqueur socialiste, en mars 1977, après avoir été pendant quinze ans maire de Montpellier. Une silhouette de petit prof, un éternel chapeau sur la tête, cet avocat tranquille fait penser à Antoine Pinay. Proche de ses administrés, il a réussi à transformer sa ville, tout en se forgeant une réputation de gestionnaire rigoureux, à l'image de son ancien collègue du C.N.I.

Victime de la poussée socialiste et du mécontentement pied-noir, il est aujourd'hui secrétaire national du P.R. chargé, précisément, des rapatriés : un dossier qui, bien traité, peut lui offrir une chance de revanche, à Montpellier, lors des législatives de 1978.

Peu attiré par la politique partisane (il n'a adhéré aux R.I. qu'en 1975), amoureux des droits de l'homme, François Delmas est aussi un adversaire résolu de la peine de mort.

Deniau, Jean-François

Un Européen à la barre 

« Cavalier émérite, barreur chevronné, et bon fusil » : en lui remettant les insignes de commandeur du mérite agricole, Christian Bonnet tint à rappeler que Jean-François Deniau avait plus d'une corde à son arc. Entre le ministre de l'Agriculture de l'époque et son secrétaire d'État, tout ne s'était pas toujours très bien passé, mais les deux hommes avaient eu le loisir de s'apprécier mutuellement.

Licencié en lettres, diplômé de Sciences po, docteur en droit, énarque, Jean-François Deniau est à la fois une tête bien pleine et une tête bien faite. Avec l'élégance et la décontraction de ceux qui ont conscience de leur propre valeur, cet humaniste est passé par les plus hautes instances européennes, les ambassades et les palais nationaux, avec une aisance et un détachement qui ne doivent pas tromper : derrière l'eurocrate, le diplomate ou le ministre, il y a d'abord une vive intelligence et une grande connaissance des dossiers ; cet inspecteur des finances aux tempes argentées (il a quarante-neuf ans) n'a pas été par hasard le plus jeune membre de la Commission de Bruxelles, ni le premier ambassadeur de France dans l'Espagne de l'après-Franco. De son expérience européenne, il tirera un livre : *L'Europe interdite.*

Ami personnel du président, giscardien avant la lettre, il n'attendit pourtant pas l'accession de Valéry Giscard d'Estaing à l'Élysée pour entrer au gouvernement : Pierre Messmer l'appela à son cabinet comme secrétaire d'État aux Affaires étrangères (une vocation décidément), en avril 1973. Son frère Xavier, vieux routier du gaullisme, avait fait partie du gouvernement précédent : une erreur de prénom, chuchotèrent les mauvaises langues.

A l'aise dans le sérail politique, Jean-François Deniau lui préfère néanmoins la solitude marine. Il a exprimé son amour sans limites pour l'océan dans un autre livre, très beau et très vrai : *La Mer est ronde.*

Denis, Bertrand

Savoir passer la main

Un oncle député, un grand-père sénateur, Bertrand Denis ne pouvait pas ne pas siéger au Parlement : famille oblige ! Depuis novembre 1958, cet ancien industriel intervient régulièrement sur les problèmes agricoles, tant à l'Assemblée nationale que dans les différentes publications giscardiennes. Sur ce sujet, il est intarissable.

Grand, solide, le cheveu blanc et un faux air de gentleman farmer, mayennais et protestant, Bertrand Denis se distingue, au moins sur un point, de ses collègues du même âge : à soixante-quinze ans, il a décidé de passer la main. Là où d'autres ne parviennent jamais à décrocher, il a, lui, soigneusement préparé sa succession. René de Branche, jeune diplomate ami de Valérie-Anne Giscard d'Estaing (et qui fut garçon d'honneur au mariage de Patricia Nixon), héritera ainsi, en 1978, du siège de Bertrand Denis, qui l'a déjà aidé à devenir conseiller général de la Mayenne en 1973. Cette attention honore celui qui s'apprête à quitter le Palais-Bourbon après quelque vingt années de bons et loyaux services parlementaires.

Descamps, Mylène

Le sourire 

Membre du cabinet de Michel d'Ornano depuis les présidentielles, la blonde Mylène a suivi « son » ministre dans sa malheureuse aventure parisienne, et ne s'est départie de son sourire qu'au soir du second tour, au Q.G. giscardien de la rue Cambacérès.

Depuis douze ans qu'elle milite pour Giscard et chez les giscardiens, cela ne lui était arrivé qu'une fois, en 1971, lorsque son mari Jean-Jacques connut la défaite aux municipales de Lille, sur la liste de François-Xavier Ortoli.

Depuis l'origine, ce jeune couple ouvert et sympathique est de toutes les manifestations giscardiennes, et notamment des réunions des clubs Perspectives et Réalités.

Si Jean-Jacques, aujourd'hui directeur général adjoint de Texunion et P.-D.G. de Descamps-Demesteer, est resté le plus souvent dans la coulisse, Mylène a eu le loisir de se faire apprécier à la fois des journalistes (comme attachée de presse) et des députés (comme attachée parlementaire). En outre, cette ancienne gaulliste (« ni U.D.R., ni U.N.R. », précise-t-elle) fut membre du bureau politique des R.I. de 1975 à mai 1977.

Desplanques, Catherine et Arnaud

Les gentils giscardiens (1974)

Le prototype des « nouveaux giscardiens » de la province. La jeune bourgeoisie champenoise, active et sans complexes, responsable et gentiment réformiste.

Lui : assureur, élu en 1971 (à vingt-huit ans) conseiller municipal de Reims, il est brusquement chargé d'animer le comité départemental de soutien à Giscard en 1974. Il monte un club Perspectives et Réalités, un groupe de Jeunes Giscardiens, et la fédération départementale des R.I. qu'il préside jusqu'en 1977 ; les divisions de la majorité, lors des municipales, aboutissent à la victoire du communiste Lamblin, et l'amènent à se retirer quelques temps de l'arène.

Elle : correspondante du journal *L'Union* à sa sortie de Science po, Catherine anime surtout le club Perspectives et Réalités et se retrouve élue, à vingt-sept ans, parmi les « ténors » au comité directeur national des clubs giscardiens. Toujours prête à animer une réunion, à rédiger un rapport, à affronter les caméras.

Une étroite amitié les lie au centriste Bernard Stasi, et une admiration sans bornes à Giscard...

Destremau, Bernard

Le diplomate monté au filet 

A soixante ans, Bernard Destremau ressemble à un grand jeune homme distingué, affichant ce détachement un peu appuyé qui accompagne souvent la réussite.

Réussite sportive, tout d'abord : en 1936, il entre dans l'équipe de France de tennis de coupe Davis ; il en sera même capitaine de 1953 à 1955. Ce glorieux passé sur les courts lui vaudra une solide réputation de sportif accompli. Aujourd'hui encore, il est vice-président du Racing Club de France, et l'un des plus ardents défenseurs des concours de pronostic.

Réussite professionnelle aussi : après Sciences po et H.E.C. il entre, au lendemain de la guerre, dans la carrière diplomatique. En 1954, il est chef de cabinet du secrétaire d'État aux Affaires étrangères. Vingt ans plus tard, après un passage à la commission des Affaires étrangères de l'Assemblée, il devient, à son tour, secrétaire d'État aux Affaires étrangères.

Entre-temps, Bernard Destremau a connu aussi la réussite politique, mais non sans accrocs ; s'il s'est fait élire député de Versailles en 1967, il n'est jamais parvenu à conquérir la mairie de cette ville, malgré une longue suite de luttes serrées contre l'indépendant André Mignot, récemment décédé. Ces combats fratricides lui vaudront d'être menacé dans son propre fief : en 1976, ce giscardien bon teint utilisera même le nom de Jacques Chirac pour retrouver son siège, à l'issue d'une élection partielle difficile. Ses amis politiques lui pardonneront difficilement d'avoir ainsi failli au plus fort de la crise Giscard-Chirac.

Dewavrin, Hugues

L'imprésario des Jeunes Giscardiens 

Hugues Dewavrin a laissé au collège Saint-Martin de Pontoise un souvenir de potache chahuteur particulièrement inventif. A vingt-trois ans, ce jeune homme de bonne famille (son père est le patron des établissements Pomona) continue de promener dans la vie sa crinière blonde et son air de ne prendre jamais rien tout à fait au sérieux.

Décontracté *(cool!)*, il se passionne pourtant pour Valéry Giscard d'Estaing lors de la campagne présidentielle de 1974. Il devient vite un des principaux chefs de file des Jeunes Giscardiens de G.S.L., puis le porte-parole de leur nouveau mouvement qu'il baptise « Autrement »; il y déploie toute son énergie à faire partager aux autres jeunes son admiration pour celui qui fut le plus jeune président de l'histoire de France.

Fasciné par le *show-biz*, toujours en avance d'un gadget, d'un « coup » à « monter », ce publicitaire né n'a pas son pareil pour organiser un concert *pop* ou un meeting à la Mutualité. Son goût pour les idées originales l'a amené à se retrouver, à vingt-deux ans, candidat aux municipales dans le Ve arrondissement contre Jacques Chirac. Et il regrette qu'un autre se soit présenté avant lui, aux législatives de 1978, dans la Nièvre... contre François Mitterrand.

Dewerdt, Louis

Les gens du Nord 

Au Congrès de Fréjus, lorsque les nouveaux dirigeants du P.R. ont cherché à renouveler les instances nationales de feu la F.N.R.I., on a pensé à ce Dunkerquois de quarante-huit ans, qui présentait le double intérêt d'être un des animateurs nationaux des clubs Perspectives et Réalités, en même temps qu'un élu d'une région politiquement difficile pour les giscardiens.

Ancien dirigeant de l'Union locale C.G.C., cadre commercial de profession (dans la sidérurgie, puis dans la construction navale), ce passionné de football est entré au conseil municipal de Dunkerque en 1971. Premier adjoint au maire depuis 1977 et vice-président de la communauté urbaine, Louis Dewerdt reste un élu local. La pipe au coin des lèvres, les cheveux en brosse, froid et silencieux, il s'est cantonné jusqu'à présent dans une relative discrétion.

Dhorlac, Hélène

La Madone des prisons 

Lorsqu'il fut élu président de la République, Valéry Giscard d'Estaing chercha quelques nouvelles têtes féminines pour figurer dans son premier gouvernement. Il pensa à Simone Veil, Annie Lesur... et se souvint d'une récente réunion giscardienne, à Nîmes, où siégeait près de lui, à la tribune, une jeune femme, médecin du travail, les cheveux noirs de jais : Hélène Dhorlac de Borne ne fut pas la moins surprise de se voir ainsi appelée à créer le nouveau secrétariat d'État à la condition pénitenciaire.

Avec beaucoup de bonne volonté et une grande ouverture d'esprit, Hélène Dhorlac se mit au travail et fit face à la révolte des prisons de 1974. Mais la réaction d'une partie de l'opinion contre les « prisons quatre étoiles », son manque d'expérience aussi, eurent raison de cette femme réservée et timide. Elle quitta le gouvernement en 1976.

De retour à Nîmes, où on la surnomme désormais la « madone des prisons », elle redevient militante de base, ce qu'elle n'avait jamais cessé d'être au fond d'elle-même.

Dijoud, Paul

Passionné

Paul Dijoud n'a pas vingt-neuf ans lorsqu'il est élu député des Hautes-Alpes (en 1967), et propulsé au bureau exécutif de la F.N.R.I., où il devient d'emblée secrétaire général adjoint. Est-ce la rançon d'un succès trop rapide ? Ou son tempérament trop passionné ? Ce jeune espoir du giscardisme ne connaîtra pas toujours la réussite, commettant quelques « erreurs » que ses amis attribuent à un certain manque de sens politique : dans une lettre à Georges Pompidou, au cours de l'hiver 1968-1969, il n'hésite pas à critiquer son patron – critiques qu'il formulera dans une lettre ouverte à Giscard publiée dans *Le Monde*... la veille du jour où son destinataire en prend connaissance. Il est de ces petites fautes qui pèsent longtemps sur un destin politique.

Cet énarque qui n'a fait qu'une très rapide incursion dans la haute administration est alors très proche de Raymond Marcellin, et fait son entrée au gouvernement dès 1973. Après l'élection présidentielle, il doit à la démission d'André Postel-Vinay sa rentrée *in extremis* au gouvernement, où il poursuit sa carrière d'éternel secrétaire d'État : il détient aujourd'hui le portefeuille de la Jeunesse et des Sports. Homme de dialogue, il a toujours voulu instaurer la concertation la plus large avec ses différents interlocuteurs, et n'hésite pas à jouer, lorsqu'il le faut, sur la corde sensible.

Devenu aujourd'hui le prototype du giscardien « de gauche », Paul Dijoud rêve, parfois à haute voix, d'une alliance avec le parti socialiste, multipliant les initiatives parfois hasardeuses : à Marseille, à Toulon, on l'a vu tenter l'impossible, avant de se replier sur Briançon où il fut réélu maire en 1977. Il s'est distingué récemment en fermant sa mairie à clef lors du passage de Jacques Chirac dans sa ville, interdisant ainsi au chef du R.P.R. d'y prendre la parole : un geste, un peu gratuit, qui prend valeur de symbole.

Dimeglio, William

« Oui à Willy » 

Ancien président de l'Association générale des étudiants de Montpellier (1957-1958), Willy Dimeglio s'est spécialisé dans les problèmes de gestion municipale et d'aménagement urbain, en qualité de secrétaire général du district de Montpellier. Il n'a pas son pareil dans les stages de formation du P.R., pour disséquer un S.D.A.U., calculer un C.O.S., jongler avec les Z.A.C. et les Z.U.P., et guider, dans la jungle des procédures administratives, ceux qui risquent un jour de s'y noyer.

Poulain de François Delmas, le maire de Montpellier battu en 1977, il enlève de haute lutte un siège de conseiller général de l'Hérault, en 1976, grâce à une dynamique campagne électorale, où il lance ce slogan à l'américaine : « Oui à Willy. »

Ce pied-noir de quarante-trois ans, ouvert et chaleureux, est membre du bureau politique du P.R. A Montpellier, il est aussi l'un des animateurs de la radio locale expérimentale *Fil Bleu*, lancée par des giscardiens qui veulent ainsi reposer le problème du monopole de la radio-télévision en France.

Dominati, Jacques

Mon pays et Paris 

La « bataille de Paris » de mars 1977 fut un sévère échec pour les giscardiens. Pour Jacques

Dominati, elle fut un désastre. Se voir préférer Michel d'Ornano comme candidat à la mairie de Paris, se faire battre dans son propre secteur par un des plus proches amis de François Mitterrand, assister impuissant au triomphe de Jacques Chirac, était difficilement supportable pour celui qui préparait depuis tant d'années sa course à l'Hôtel de Ville.

Ancien journaliste au *Parisien Libéré*, Jacques Dominati a d'abord été un militant gaulliste : responsable dès 1950 des étudiants du R.P.F., il est, en 1958, secrétaire général de l'U.N.R. pour la région parisienne. Ayant rompu avec le gaullisme au moment de la crise algérienne, il rejoint les giscardiens en 1965, année où il fonde, avec Xavier de la Fournière et quelques autres, le premier club Perspectives et Réalités. Élu député de Paris en 1967, réélu en 1968 et 1973, c'est au Congrès de Paris, le 1er février 1975, qu'il est élu secrétaire général des Républicains indépendants, en remplacement de Roger Chinaud. Il sera le dernier patron des R.I. : appelé au gouvernement en mai 1977, il laissera à Jean-Pierre Soisson le soin de donner naissance au parti républicain. Paradoxe, celui qui garda plus que tout autre un esprit de militant passe la main au moment où le parti giscardien commence enfin à devenir un parti de militants.

Homme des engagements entiers, inconditionnel de personne (il ne suivit pas Giscard dans son opposition au référendum de 1969), passionné, pragmatique (il traite le dossier des rapatriés plus en « politique » qu'en technicien), Jacques Dominati est aussi corse jusqu'au bout des ongles — sans la vendetta, mais avec le farniente.

Doré, Francis

Retour d'Asie 

Une belle collection de diplômes, dont une agrégation de droit public et un doctorat de sciences politiques : Francis Doré est d'abord un universitaire, à qui la faculté de droit de Pnom-Penh ouvre, en 1963, les portes de l'Asie et des ambassades. Il est pendant neuf ans conseiller culturel à l'ambassade de France en Inde, où Edgar Faure, président de l'Assemblée nationale, le remarque et l'invite, à l'automne 1974, à entrer dans son cabinet. De son long séjour en Asie, Francis Doré a ramené une solide connaissance du tiers monde, plusieurs livres et... Rashmi, sa jeune et jolie femme.

Cet humaniste de quarante-quatre ans, à l'allure cérémonieuse, se partage entre le Palais-Bourbon et sa chaire de l'université Paris-XII lorsque, en mai 1975, son nom est soufflé à Jacques Dominati (alors secrétaire général des R.I.) par Giscard lui-même, qui souhaite introduire quelques « professeurs » parmi les dirigeants de sa formation préférée. Francis Doré y traitera des questions européennes, et représentera les R.I. à la Fédération des partis libéraux européens.

Giscardien de fraîche date, Francis Doré appartient aussi au Nouveau Contrat social d'Edgar Faure, dont il partage le goût des synthèses hardies. Il les développe régulièrement au cours d'un de ses exercices favoris : les « tribunes libres » du journal *Le Monde*...

Douffiagues, Jacques

Indispensable 

Énarque, conseiller référendaire à la Cour des comptes, maître de conférences à Sciences po, fils d'inspecteur des finances, Jacques Douffiagues a tout du technocrate. Tout ? Voire : dressant le portrait du délégué général du P.R., *Paris-Match* le comparait récemment à Woody Allen : même goût pour le non-sens et l'humour glacial, et aussi, il faut le dire, une certaine ressemblance physique.

Apparu brusquement au grand jour lors du Congrès de Fréjus, ce haut fonctionnaire discret, familier des coulisses du pouvoir, a alors été surnommé le « Monod de Soisson », jouant auprès du nouveau patron du P.R., le même rôle qu'un autre haut fonctionnaire, Jérôme Monod, auprès de Jacques Chirac.

Dans un monde politique qui manque souvent de rigueur et de contrôle de soi, Jacques Douffiagues a su se rendre indispensable. La récente progression du parti giscardien, qui n'était jamais parvenu à s'organiser efficacement, est un peu l'œuvre de cet homme de dossiers et de méthode.

Habitant Orléans depuis qu'en 1971, il y fut envoyé comme chef de la mission régionale du Centre (il avait alors à peine trente ans), il a posé sa candidature à la succession de l'ancien député gaulliste Henri Duvillard, dans ce département du Loiret où il animait déjà, en coulisses, la campagne présidentielle de 1974.

Skieur accompli, travailleur acharné, Jacques

Douffiagues a aussi le sens des formules. Parlant du partage des responsabilités entre Jean-Pierre Soisson et lui-même, il a ce mot : « Lui, c'est le gaucho : moi, je suis le réac ! »

Ducray, Gérard

Une victime du giscardisme

Benjamin du Parlement lors de son élection comme député du Rhône en 1968, benjamin du gouvernement lors de son entrée comme secrétaire d'État au tourisme en 1974, Gérard Ducray a beaucoup appris en peu de temps. Les honneurs comme les traquenards.

Militant dans l'âme, il est poussé par le président et son ministre d'État, Michel Poniatowski, à sortir de ses dossiers touristiques pour « faire un peu de politique », s'attirant ainsi les foudres du Premier ministre, Jacques Chirac, qui obtient à la première occasion son départ du gouvernement. Quelques mois plus tard, encouragé par des sondages trop optimistes, il tente de retrouver son siège de député dans le Beaujolais, et se fait battre à plate couture par un instituteur socialiste.

Ancien ministre et ancien député à trente-deux ans, Gérard Ducray a rouvert son cabinet d'avocat à Villefranche-sur-Saône, et brûle de repartir pour de nouveaux combats électoraux. Il a même failli revenir récemment sur le devant de la scène, et par la grande porte : certains avaient pensé à lui lorsque Raymond Barre, à Lyon, cherchait encore un suppléant.

Durieux, Jean

Le giscardisme hors frontières ⊙

Bruxelles, Strasbourg, Luxembourg : autant de ports d'attache pour ce député du Nord qui est, avant tout, président du groupe libéral au Parlement européen.

Né en Algérie, Jean Durieux a fait ses études à Cambrai, dans ce département du Nord où il est aujourd'hui solidement implanté : maire des Rues-des-Vignes depuis 1965, député depuis 1968, président de la fédération régionale des R.I. en 1969-1970, il a confirmé cette réussite locale par une victoire remarquée aux cantonales de 1976.

Bien organisé, méthodique, chaleureux, ce solide gaillard s'est spécialisé dans les questions internationales en portant aux quatre coins du monde (il est aussi délégué de la France à l'O.N.U.) la bonne parole giscardienne. Profondément libéral, il s'est battu pour intégrer les R.I. dans le concert du libéralisme hors frontières : Internationale libérale, Fédération des partis libéraux européens, etc.

Il fit partie, en 1969, des douze députés R.I. à voter « non » au référendum fameux : sous des dehors de contestataire, Jean Durieux est un inconditionnel de Giscard.

Duval, Michel

A moi, Auvergne ! 

« Valéry m'a dit... » Voix de basse et moustache rétro, Michel Duval a gardé la nostalgie du cabinet de Valéry Giscard d'Estaing. Inspecteur de l'économie nationale en Auvergne, il y a vingt ans, il sympathise alors avec un jeune élu de la région, promis à un bel avenir. Lorsque Giscard entre au gouvernement, il n'oublie pas ce technicien des problèmes locaux, et l'appelle bientôt à son cabinet. Chargé de suivre sa circonscription de Rochefort-Montagne, Michel Duval aura même pour mission de gagner le siège voisin, celui de Riom, en 1967. Ce qu'il réussit. Paradoxe : il perd le siège en 1973, mais se fait réélire maire de Saint-Éloy-les-Mines, en 1977, malgré les difficultés sociales de l'endroit... et ses absences fréquentes. Le cabinet de Michel Poniatowski, en effet, laisse peu de loisirs, surtout en période électorale.

Au départ de « Ponia » en 1977, il est retourné à son administration d'origine, en attendant de repartir au combat en mars 1978.

Feit, René

Laissez-les vivre 

Ce médecin lyonnais de cinquante-sept ans, jurassien d'élection, est d'abord un parlementaire, qui n'a jamais cru au militantisme prôné par certains dirigeants giscardiens et pour qui le suffrage universel, en politique, est seul source d'autorité. « Le parti, aime-t-il à répéter, devrait tenir compte davantage de l'avis des élus. »

Maire de Lons-le-Saunier depuis 1965, René Feit est député depuis 1967, et membre du Parlement européen. Appartenant à plusieurs amicales parlementaires, souvent délégué à des manifestations diplomatiques, il participe aux travaux du Comité d'études pour un Nouveau contrat social d'Edgar Faure.

Chirurgien gynécologue, il fut un des plus farouches adversaires de la loi sur l'avortement. Il se fit remarquer, lors de cet important débat, en faisans écouter au micro de la tribune de l'Assemblée nationale l'enregistrement du cœur d'un fœtus.

Foch, René

L'Européen

Dès leur fondation en 1966, René Foch rejoint les R.I. Centriste, libéral, il est surtout profondément européen. Vite remarqué par Victor Chapot, il prépare, dès ce temps-là, des notes et des dossiers sur l'Europe, dont Giscard apprécie la concision et la clarté.

Militant de l'idéal européen, ce Toulousain à l'accent inimitable est aussi aujourd'hui le directeur du bureau de documentation des communautés européennes à Paris. Un temps secrétaire national des R.I. (chargé de l'Europe), ce faux diplomate, intelligent et passionné, affrontera pour la première fois le suffrage universel lors des prochaines élections... européennes, bien sûr.

Fourcade, Jean-Pierre

Carré 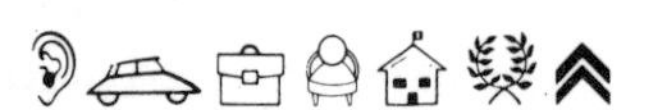

« J'ai appris à mes dépens que l'homme politique doit toujours réfléchir à ce qu'il dit, mesurer les conséquences de toutes ses paroles. Et pour moi, qui ai toujours été un peu direct, un peu abrupt, c'est une discipline très difficile. » Ainsi se confiait un jour Jean-Pierre Fourcade au micro de notre consœur Hélène Vida.

L'homme est carré. Pas seulement par ses lunettes de technocrate et sa coiffure en brosse qui font le bonheur des caricaturistes : ce néophyte de la politique a horreur de tourner sa langue sept fois dans sa bouche, surtout quand il est convaincu d'avoir raison. Ce qui lui arrive souvent.

Jeune inspecteur des finances, il entre dès 1959 au cabinet de Valéry Giscard d'Estaing. Lorsque celui-ci quitte le gouvernement en 1966, Jean-Pierre Fourcade entre à la Direction du commerce intérieur et des prix du ministère des Finances, qu'il quitte en claquant la porte, en 1970, pour devenir l'un des dirigeants du C.I.C. La carrière dont rêve tout candidat à l'E.N.A.

Quelques détours dans cette ascension trop rectiligne qui débouche, en 1974, sur le portefeuille des Finances, donnent une autre dimension au personnage : un an de sanatorium à l'époque du lycée, par exemple, qui explique peut-être sa détermination ;

son élection à la mairie de Saint-Cloud, en 1971, qui surprend chez ce technicien n'appréciant ni la politique, ni les politiciens. Lorsque le grand public le découvre, au lendemain des présidentielles, ce prototype du haut fonctionnaire est ainsi déjà confirmé par le suffrage universel.

En 1975, Giscard lui demande de prendre la direction des clubs Perspectives et Réalités, ce qu'il accepte aussitôt, non sans s'attirer la suspicion de ses amis républicains indépendants qui lui reprochent d'utiliser les clubs giscardiens à son propre profit. Au plus fort des dissensions majoritaires, on voit en lui le successeur possible de Jacques Chirac à Matignon, et même, parfois, un futur candidat à la présidence de la République.

Est-ce d'avoir été trop ouvertement confiant dans son étoile ? En fait de Premier ministre, il se retrouve ministre de l'Équipement, en août 1976. Un an plus tard, il se fait élire sénateur des Hauts-de-Seine, et quitte de lui-même le gouvernement, en attendant des jours meilleurs.

Mais on imagine mal ce solide gaillard de quarante-huit ans prendre une retraite dorée au Palais du Luxembourg, après avoir montré qu'il était aussi un bel animal politique. On se rappelle notamment son face à face télévisé avec François Mitterrand, en 1976, et sa lutte acharnée pour faire passer le projet de taxation des plus-values. Deux faits d'armes qui ont renforcé l'estime que lui a toujours portée le président de la République, et qui contribuent à en faire un recours toujours possible.

Fournière, Xavier de la

L'homme des clubs

Giscard et nous : dans ce livre, présenté comme le « livre de bord de Giscard s'apprêtant à tenir la barre », Xavier de la Fournière donne la mesure de son attachement à Valéry Giscard d'Estaing. De son admiration aussi. L'hôte de l'Élysée lui rend d'ailleurs cette amitié, qui l'appela jadis plaisamment « mon biographe », ou même « mon Joinville ».

C'est pour « Valéry » que cet agent de change fonde à Paris, en 1965, le premier club Perspectives et Réalités. Il est aujourd'hui président d'honneur des clubs giscardiens, qui furent une pièce maîtresse du dispositif électoral de Valéry Giscard d'Estaing.

Xavier de la Fournière, qui siégea de 1971 à 1977 au Conseil de Paris (dont il présida l'importante commission du budget), a toujours débordé d'activités diverses : il est aujourd'hui vice-président du Conseil économique et social, et voilà pour le politique ; il est trésorier du Pen Club, et voilà pour le littéraire ; il est membre du Polo de Paris et du Racing Club, et voilà pour le standing. Le tout mis au service de Giscard à chaque fois que cela fut nécessaire.

François-Poncet, Jean

Une carrière 

Ambassadeur, fils de l'ambassadeur (et académicien) André François-Poncet, le secrétaire général de l'Élysée a tout du diplomate, y compris le physique. Et une carrière qui parle pour lui. Major de l'E.N.A., docteur ès sciences économiques, diplômé de Harvard, il entre au Quai d'Orsay en 1955, et se trouve, quelques mois plus tard, au cabinet du secrétaire d'État aux Affaires étrangères Maurice Faure ; il participe alors aux négociations sur le Marché commun et l'Euratom. Rentré dans la « carrière » en 1958, il épouse cette année-là Marie-Thérèse de Mitry (petite-fille de Wendel et sœur d'Hélène Missoffe). En 1971, il quitte les Affaires étrangères pour les affaires tout court. Administrateur de plusieurs sociétés, P.-D.G. des établissements Carnaud S.A., on lui propose en 1975 de très hautes responsabilités dans le privé : Giscard lui conseille de refuser, ce qu'il fait, pour entrer au cabinet de Jean Sauvagnargues, ministre des Affaires étrangères ; quinze jours plus tard il devient secrétaire d'État (toujours aux Affaires étrangères) et quelques mois plus tard secrétaire général de la présidence de la République, où il remplace Claude Pierre-Brossolette.

Conseiller général de Laplume (Lot-et-Garonne) depuis 1967, candidat malheureux aux législatives de 1967 et 1968 sous la bannière du Centre démocrate (et avec le soutien de Maurice Faure), ce centriste d'opposition sera resté éloigné des allées du pouvoir de 1958 à 1974, c'est-à-dire pendant toute la période gaulliste. A quarante-neuf ans, c'est, d'une certaine façon, un homme neuf.

Frédéric-Dupont, Édouard

Le député des concierges CNI

Farouche partisan de la coopération entre le P.R. et le R.P.R., Édouard Frédéric-Dupont s'est distingué, dans la « bataille de Paris » de mars 1977, en composant une liste unique que ni les gaullistes ni les giscardiens ne songèrent à lui contester. Dans le VIIe arrondissement, celui que l'on a surnommé le « député des concierges » (il fit supprimer le cordon nocturne en 1957) est sans doute l'élu parisien le mieux implanté dans son secteur. Dans un scrutin municipal, aller contre cette « locomotive » eût été courir à l'échec.

Les étiquettes politiques conviennent mal à ce modéré, pourtant inscrit au P.R., dont le cœur penche plutôt à droite sans avoir jamais vraiment battu pour aucun leader national, aussi prestigieux fût-il.

Vingt-six ans après avoir été élu pour la première fois au conseil municipal de la capitale, il est aujourd'hui adjoint au maire de Paris. Député dès 1936, il a constamment été réélu (sauf en 1962 et 1968), et s'est même offert le luxe de battre Maurice Couve de Murville en 1967.

Ce célibataire endurci de soixante-quinze ans, ancien avocat, est aussi ancien ministre : il a siégé, en 1954, dans le gouvernement Laniel. Pendant onze jours.

Gerbet, Claude

L'esprit des lois ⊙

« Un coupeur de cheveux en quatre » : lorsque le vice-président de la Commission des lois prend la parole, dans l'hémicycle, chacun sait qu'il va être question d'un problème juridique : ses collègues ont pris l'habitude de son souci agaçant du détail, et de ses références constantes aux grands principes. Ce qui ne l'empêche pas de se livrer parfois à des attaques virulentes contre les « juges rouges » du Syndicat de la magistrature, dont il a fait sa bête noire.

Fils d'un pâtissier-confiseur de Chartres, Claude Gerbet possède un des plus gros cabinets d'avocat de la Beauce, ainsi que le quotidien local, *L'Écho républicain de la Beauce et du Perche :* deux atouts de poids qui ont contribué à le faire élire, en battant un candidat U.N.R. en « primaire », en 1968 – l'année du « raz de marée gaulliste ».

Ce battant au caractère difficile, hostile à toute forme de militantisme giscardien, souvent critique à l'égard des velléités réformistes de Giscard, demeure pourtant un fidèle du président.

Gilbert, Danièle

De Chamalières à « Midi-Trente »

Que ce soit le congrès des R.I. de Toulouse en 1971, la fête des R.I. au cirque Jean Richard en 1973, la grande réunion de la porte de Versailles pendant les présidentielles de 1974, le congrès du P.R. de Fréjus de 1977 ou la réunion des agriculteurs de Vassy, la présentation du spectacle de variétés qui égaie la plupart des meetings giscardiens est toujours assurée par Danièle Gilbert. Avec l'accordéon et le « chant du Départ », elle fait partie de la mythologie giscardienne.

Non que la « grande Duduche », comme l'a surnommée Jacques Martin, soit tentée par l'action politique, mais elle est une « payse » de Giscard. Cette Auvergnate, née à Clermont-Ferrand, a vécu en effet à Chamalières, dont Valéry Giscard d'Estaing fut maire de 1967 à 1974 : elle est la Jeanne d'Arc du « Colombey » giscardien.

Médaille de la courtoisie française, médaille d'or du sourire, Danièle Gilbert a trouvé là, tout naturellement, une manière d'engagement dont elle ne fait pas mystère. Dans le monde du show-business, cela ne va pas sans risques professionnels...

Girault, Jean-Marie

La dignité d'un père

Ancien président de l'Association générale des étudiants de Caen, maire-adjoint de cette ville depuis 1959, Jean-Marie Girault en devient le premier magistrat en 1970, succédant à l'ancien ministre M.R.P., Jean-Marie Louvel.

Proche des centristes, fuyant les étiquettes partisanes, il répondit pourtant à l'appel des sirènes de Deauville : Michel d'Ornano, en lui apportant son soutien, a fait de Jean-Marie Girault à la fois un sénateur et un giscardien. Réélu facilement dès le premier tour des municipales de mars 1977, cet avocat réputé pour sa bonne gestion locale est considéré comme le meilleur candidat contre le socialiste Louis Mexandeau, qu'il a nettement battu aux dernières cantonales.

Ce notable tranquille de cinquante et un ans, sportif à ses heures, a connu récemment un drame familial qui fit la « une » des journaux : son fils fut condamné dans une tragique affaire de drogue. Jean-Marie Girault fit face avec courage et dignité, et sut tirer de cette expérience des enseignements plus larges ; c'est lui qui obtint du président de la République la nomination d'un « Monsieur Drogue », qui est d'ailleurs une femme, et qui siège avec lui au bureau politique du P.R. : Monique Pelletier.

Giscard d'Estaing, Henri

« Riton » 1974

Il n'est pas toujours facile d'être le fils de son père, surtout quand celui-ci est président de la République. Et qu'on est... tout le portrait de son père !

Henri Giscard d'Estaing assume son destin sans se forcer, avec le minimum de retenue et de prudence qu'implique une situation aussi particulière. Engagé comme toute sa famille dans la campagne présidentielle en 1974, il est le seul des quatre enfants de Giscard a avoir été gagné par la passion politique. Tout en poursuivant ses études (Sciences po, Science éco), il milite activement chez les Jeunes Giscardiens de G.S.L., qui lui confient l'organisation de leurs stages de formation, et en particulier la seconde « université politique d'été » de Montpellier en 1976.

Ce grand jeune homme réservé de vingt et un ans, avec sa frange brune de Beatle des années soixante, est devenu « Riton » pour ses amis. Et l'un des responsables du nouveau mouvement des Jeunes Giscardiens, « Autrement ».

Giscard d'Estaing, Olivier

Monsieur Frère

Frère de Valéry, Olivier Giscard d'Estaing ne s'est jamais vraiment senti attiré par la politique. Il a fallu qu'en 1968, apprenant que Jean-Jacques Servan-Schreiber allait se présenter à Cannes, les dirigeants R.I. cherchent une personnalité d'envergure à opposer au directeur de *L'Express*, pour qu'Olivier se présente à la députation. Élu, il restera mal à l'aise dans ce rôle qui n'était pas le sien, et dans cette ville qui n'était pas non plus la sienne. En 1973, il abandonne Cannes, et tente sa chance à

Rodez, près du village d'Estaing dont il est maire : il est battu.

Fondateur et animateur de l'I.N.S.E.A.D., cette prestigieuse école de gestionnaires de Fontainebleau, Olivier Giscard d'Estaing réussit mieux dans les affaires, où lui furent utiles les relations qu'il a établies aux États-Unis en préparant le *Master in business administration* de Harvard. Défenseur convaincu du libéralisme, il vient d'exposer ses idées dans un livre intitulé *Le Social-capitalisme, ou les chemins vers la prospérité mondiale.*

Gouyou Beauchamps, Xavier

Homme de presse

Pendant de longues années, Xavier Gouyou Beauchamps a été, auprès de Valéry Giscard d'Estaing, l'homme de la presse. Formé à l'école d'Edgar Faure, ce jeune haut fonctionnaire est devenu dès 1969 le porte-parole du ministre des Finances, puis du candidat aux élections présidentielles, enfin du président de la République. Porte-parole, mais aussi observateur attentif du monde de l'information.

Un physique de matador tourmenté, un tempérament passionné, des méthodes parfois désinvoltes, Xavier Gouyou Beauchamps a tenté d'inaugurer, à l'Élysée, un nouveau style de relations avec les journalistes, sans parvenir toujours à les satisfaire. Nommé en 1976 préfet de l'Ardèche (à trente-neuf ans), il est rapidement rentré à Paris où lui fut confiée la présidence de la S.O.F.I.R.A.D., un organisme d'État contrôlant notamment *Europe nº 1* et *Radio Monte-Carlo*: le voilà maintenant, en quelque sorte, patron de presse.

Auteur d'un livre remarqué, *L'État dans l'État*, sur le ministère des Finances qu'il a connu, pendant cinq ans, de l'intérieur, ce fidèle du président est aussi l'ex-mari de « Madame Inter », Annick Beauchamps.

Griotteray, Alain

Engagé

En quittant la présidence de la société Tornado en 1976, Alain Griotteray déclare « choisir définitivement l'action politique ». Le moins que l'on puisse dire, pourtant, c'est qu'il n'est pas un novice, ni en matière d'action, ni en matière de politique !

C'est à dix-huit ans qu'il s'engage pour la première fois en organisant, avec d'autres lycéens, la manifestation anti-allemande du 11 novembre 1940. Chef du réseau Orion de décembre 1940 à la Libération sous le nom de Brayance (il s'appelle aujourd'hui Griotteray-Brayance, comme Jacques Delmas est devenu Chaban-Delmas), il quitte l'armée comme officier parachutiste en 1949, couvert de décorations.

Attiré par le R.P.F., farouche partisan de l'Algérie française (il fut mêlé au complot du « bazooka » en 1957), il rompt avec les gaullistes en 1961, après avoir été élu en 1959 conseiller municipal de Paris et conseiller général de la Seine. Il commence alors une carrière parallèle de grand argentier des affaires parisiennes : rapporteur général du budget de la ville de Paris, il sera rapporteur général au Conseil de district de Paris, puis rapporteur général du budget de la Région parisienne.

Celui qui fut l'un des fondateurs de l'U.N.R. avec Jacques Soustelle, participe, dès l'origine, à la création des Républicains indépendants. Député R.I. du Val-de-Marne en 1967 et en 1968, battu en 1973, il prend cette année-là la mairie de Charenton, qu'il conservera en 1977. C'est de cette ville qu'en 1972 Valéry Giscard d'Estaing proclame que « la France souhaite être gouvernée au centre ». C'est là aussi que V.G.E. conclut en 1974 sa campagne du premier tour, encadré de Michel Poniatowski et Jean Lecanuet. Deux preuves parmi d'autres de l'attachement que lui porte l'actuel président de la République, avec lequel, cependant, il n'a pas toujours eu des rapports faciles.

Anticommuniste virulent, homme de droite, polémiste et négociateur coriace, il est depuis le congrès de Fréjus délégué national du P.R. chargé de représenter le parti giscardien au comité de liaison électoral de la majorité. Toute peine méritant récompense, Alain Griotteray s'est attribué personnellement, pour mars 1978, une des deux circonscriptions du XVIe arrondissement de Paris, détenue par l'ex-suppléant du général Stehlin, Gilbert Gantier, inscrit au... P.R.

Haby, René

Le ministre instit' 

Fils d'un ouvrier lorrain et d'une lingère, René Haby doit sa promotion à l'Université française qui l'a formé, choyé, façonné, et qu'il sert en retour avec une conscience toute professionnelle. L'ancien élève de l'École normale d'instituteurs de Nancy, devenu prof' d'histoire, agrégé puis docteur, proviseur enfin, voit sa carrière s'accélérer brusquement en 1966, lorsque François Missoffe, le ministre (gaulliste) de la Jeunesse et des Sports, le prend comme directeur de cabinet. Six ans plus tard, il est nommé recteur à Clermont-Ferrand, où le remarque un ancien élève du lycée Blaise-Pascal de cette ville : Valéry Giscard d'Estaing, alors ministre des Finances. En 1974, le nouveau président de la République le prend dans son gouvernement et lui confie, bien sûr, le ministère de l'Éducation : deux rencontres entre les deux hommes ont suffi à établir une confiance réciproque, qui ne sera pas de trop lorsque la quasi-totalité du monde lycéen descendra dans la rue pour protester contre la « loi Haby ».

Technicien de l'éducation, constamment partagé entre son expérience personnelle et son souci de la concertation systématique, René Haby aura au moins battu un record : celui de la longévité à ce poste, qui fut le moins stable de la Ve République.

Il reste à ce Lorrain consciencieux, voire scrupuleux, qui se méfie des étiquettes politiques (mais qui est membre du bureau politique du P.R.), à passer un examen de plus : celui du suffrage universel, dont il a raté la première session aux municipales de 1977 à Lunéville.

Hamel, Emmanuel

Un député pas comme les autres 

Un personnage de bandes dessinées. Emmanuel Hamel, cinquante-six ans, député du Rhône depuis 1973, n'est pas un homme politique comme les autres. D'abord, rares sont les candidats aux législatives qui vendent des meubles de famille pour payer leur campagne électorale. Ensuite, peu de députés exercent leur mandat avec autant d'assiduité : un soir, il rend visite à un commissariat de police et remplace l'agent de service, au téléphone, pendant que celui-ci et ses collègues partent en mission ; une autre fois, il veut se rendre compte du fonctionnement de l'hôpital de Givors et, sans prévenir, passe la nuit au service des urgences, aidant les infirmières, portant les brancards, et... provoquant l'affolement du maire communiste de la ville qui croit à une manœuvre politique !

Les journalistes aiment ses réparties qui égayent les débats parlementaires. Lorsque Roland Leroy traite le ministre Maurice Druon de « gendarme de l'esprit », Emmanuel Hamel bondit de son siège en criant : « Vous n'avez pas le droit d'insulter la gendarmerie, vive la gendarmerie ! » Un autre jour, il élève une protestation indignée contre les seins nus de la piscine Deligny qui, à quelques pas du Palais-Bourbon, constituent à ses yeux une insulte à l'honneur national !

Personnage tout d'une pièce, attachant et déroutant à la fois, cachant sous son apparente naïveté une intelligence économique insoupçonnée (conseiller référendaire à la Cour des comptes, il fut professeur de politique économique à l'E.S.S.E.C. et à Sciences po), Emmanuel Hamel est, avant tout, un homme de cœur.

Hardy, Charles-Noël

Les dossiers politiques 

« Un de ceux qui en savent le plus sur Giscard, et qui en disent le moins. » L'actuel préfet du Loir-et-Cher (département où Valéry Giscard d'Estaing passe souvent le week-end dans sa propriété d'Authon) est un giscardien de la première heure, à qui l'ex-ministre des Finances confia, dès le début, les dossiers politiques les plus délicats.

Entré au cabinet de Giscard en 1964, la petite histoire veut que ce choix lui ait été soufflé par Roger Frey, le ministre de l'Intérieur de l'époque, qui avait remarqué ce jeune et brillant sous-préfet du Cher. Charles-Noël Hardy, la « première main » des discours de Valéry Giscard d'Estaing, est de tous les petits cercles officieux, de tous les groupes de travail plus ou moins secrets qui conseilleront le futur candidat à la présidence. Il animera en outre, de 1966 à 1973, les clubs Perspectives et Réalités, en tant que secrétaire général : un poste privilégié pour sillonner les régions, prendre le pouls de l'opinion, juger les responsables locaux. Michel Poniatowski en fera, place Beauvau, son directeur des affaires politiques.

La pipe énigmatique, imperturbable en toute circonstance, artiste-peintre à ses heures, il s'est donné à Giscard sans compter – et pourrait se voir confier, un jour ou l'autre, un poste de premier plan.

A ses côtés, dans la vie publique comme dans la vie privée, la douce Françoise Hardy (rien à voir avec la chanteuse) partage aussi son admiration pour Giscard ; elle l'a montré lors de la campagne de 1974, rue de la Bienfaisance, où elle se transforma en militante. Et pas des moins actives.

Héraud, Robert

A vos marques 

Médecin et prof' de gym', Robert Héraud a été saisi assez tardivement par la politique (il a cinquante-cinq ans). Celui qui fit toute sa carrière dans l'administration de la Jeunesse et des Sports, qui fut notamment directeur général des Jeux olympiques de Grenoble, sauta le pas en septembre 1976, en entrant au cabinet de Jean-Pierre Soisson, alors secrétaire d'État à la Jeunesse et aux Sports. Tout en continuant à travailler pour son successeur Paul Dijoud, il est devenu secrétaire national du parti républicain, chargé des sports, évidemment.

Grand consommateur de calembours, Robert Héraud est lui-même très sportif. Lancé dans la course aux législatives dans la Seine-et-Marne, où il est soutenu par le sénateur Jacques Larché, il devrait se présenter dans la circonscription de Meaux-Coulommiers. Son échec aux municipales dans ce département ne l'a pas découragé : dans toute compétition, chaque concurrent a droit à plusieurs essais...

Hintzy, Jacques

Faire passer le message

« Un vrai président », « Le président de tous les Français », Giscard et sa fille : à l'origine de ces affiches qui ont fleuri sur tous les murs de France, au printemps 1974, il y a Jacques Hintzy. Ce brillant publicitaire, sorti d'H.E.C., de Sciences po et... major de l'école de cavalerie de Saumur, est un ami personnel de Valéry Giscard d'Estaing. Militant républicain indépendant dès 1967, cofondateur, avec Jean Proriol, de la fédération R.I. de Haute-Loire, il met régulièrement son talent et ses idées (il n'en manque pas) au service de ses amis politiques.

Devenu l'un des principaux responsables du groupe Havas, ce spécialiste de la communication est directeur général d'Odiovox depuis 1975. La quarantaine alerte, un faux air de Tintin, direct et plein d'humour, Jacques Hintzy trouve encore suffisamment de temps, en marge d'une vie professionnelle très dense, pour siéger au conseil municipal de Moisson (Yvelines), donner des cours à l'E.S.S.E.C., et prodiguer ses conseils, à titre bénévole, aux responsables de l'U.N.I.C.E.F.

Honnet, Raoul

Un professionnel 

La moustache poivre et sel de Raoul Honnet (cinquante-trois ans) hante les milieux politiques depuis de longues années. Cet ancien permanent du C.N.I. a notamment participé à la campagne présidentielle de Jean Lecanuet en 1965, puis au lancement du Centre démocrate où il s'occupait de l'implantation locale – sa spécialité. Quittant le Centre démocrate dans la foulée de Joseph Fontanet, il contribue à la création du Centre démocratie et progrès. Resté jusqu'au bout un collaborateur très proche du président du C.D.P., Jacques Duhamel, il ne quittera son poste de secrétaire général adjoint du C.D.P. qu'après son ralliement au parti giscardien.

Avec ses amis du C.D.P., il fait la campagne de Jacques Chaban-Delmas au premier tour des présidentielles de 1974 et, tout naturellement, rejoint la rue de la Bienfaisance, au deuxième tour, pour aider à l'élection de Valéry Giscard d'Estaing. Giscard à l'Élysée, il considère que le C.D.P., cette passerelle vers le centrisme d'opposition, n'a plus de raison d'être : il est partisan de la fusion de son parti avec les R.I. Mais il n'est pas entendu par la majorité de ses amis. Suppléant du fauriste Paul Granet, il est devenu député de l'Aube, son département natal, en juillet 1974. D'abord « non inscrit », il s'apparente au groupe R.I. en 1975, et y adhère pleinement l'année suivante. Ce bon connaisseur de la France politique et électorale travaille aujourd'hui pour la délégation à l'organisation du P.R.

Icart, Fernand

Père... et fils

Éternel rival de Jacques Médecin dans les Alpes-Maritimes, Fernand Icart a vu sans plaisir le maire de Nice adhérer aux Républicains indépendants en 1975... et entrer au gouvernement en 1976.

Entrepreneur de chauffage central, élu conseiller général de Nice en 1961, Fernand Icart est choisi comme suppléant, l'année suivante, par le général Corniglion-Molinier. En 1963, au décès du titulaire, il devient député R.I. Battu par un socialiste en 1967, il est réélu en 1968 malgré le maintien du général de Bénouville (U.D.R.) au second tour, et réélu en 1973. Cette année-là, ce député taciturne est élu à la présidence de la prestigieuse commission des finances de l'Assemblée nationale, qu'il abandonne en 1977 pour succéder à Jean-Pierre Fourcade au ministère de l'Équipement. A cinquante-six ans.

Giscardien de la première heure (et giscardien convaincu), Fernand Icart fut des rares députés R.I. à appeler à voter «non» au référendum de 1969, quand même les plus fidèles refusaient de suivre leur leader.

Son fils Jean fut secrétaire général des Jeunes Républicains indépendants en 1970.

Joly, Bernadette

Les secrets du Palais-Bourbon

Une petite annonce publiée dans un quotidien parisien, en 1965, et Bernadette Joly devient secrétaire chez les Républicains indépendants... avant même la fondation du parti. Collaboratrice d'Aimé Paquet, elle est la première à s'installer au 195, boulevard Saint-Germain, en juin 1966, avant d'assister le nouveau député d'Auvergne, Michel Duval, puis le nouveau député de Montmartre Roger Chinaud (en 1973). Auprès du président du groupe P.R. de l'Assemblée nationale, elle fait figure de véritable chef de cabinet : une marque de confiance que le très secret Roger Chinaud n'eût pas accordée à n'importe qui.

Lagourgue, Pierre

L'anti-Debré 1974

Le président du conseil général de la Réunion fut sans doute l'un des premiers à créer, en avril 1974, un comité de soutien à Valéry Giscard d'Estaing. Dans une île où les gaullistes sont nettement majoritaires, son geste était l'aboutissement logique d'une rivalité longtemps contenue avec Michel Debré.

Ce médecin radiologiste, grand et distingué, est amoureux de son île, et rêve d'y devenir le principal leader politique. Candidat malheureux aux sénatoriales de 1974 (il avait refusé de s'allier à l'U.D.R.), Pierre Lagourgue tente maintenant de ravir le siège du député Marcel Cerneau.

Lanier, Lucien

« Présent ! » 

Lorsqu'est donné le départ de la course à l'Élysée, début avril 1974, chaque camp se choisit un préfet comme directeur de campagne : lorsque l'enjeu est d'une telle importance, le devoir de réserve des hauts fonctionnaires passe après le souci de s'organiser le plus vite possible. Rue de la Bienfaisance, on fit appel à Lucien Lanier, qui prit position dès le lendemain, jouant à quitte ou double sa carrière.

Homme de cœur, souriant et attentionné, Lucien Lanier sut remplir son contrat, et en tira profit : quelques mois plus tard, il est nommé directeur général de l'administration au ministère de l'Intérieur, puis, en 1975, préfet de la région parisienne. Depuis la mise en application du nouveau statut de la capitale, il est aussi préfet de Paris. Il retrouve à ce poste un interlocuteur difficile, mais qu'il connaît bien : en avril 1974, c'est lui qui fit livrer spécialement à Jacques Chirac, à la demande de ce dernier, quelques tee-shirts « Giscard à la barre » à l'attention des enfants du futur maire de Paris...

Larché, Jacques

Sur le tard 

Soucieux d'assurer une présence effective au siège du P.R. à l'heure où tous les dirigeants du parti arpenteraient leurs circonscriptions respectives, Jean-Pierre Soisson fit appel, six mois avant les élections de 1978, à un tout nouveau sénateur, Jacques Larché, nommé aussitôt délégué national. Le nouveau patron administratif de la rue de la Bienfaisance s'est rapidement intégré à cette équipe dans laquelle, pourtant, il ne compte pas que des amis.

Ancien de l'E.N.F.O.M. et de l'E.N.A., ancien résistant aussi, ce fils de préparateur en pharmacie a adhéré au parti radical lorsqu'il travaillait au cabinet de Félix Gaillard, en 1957-1958. Produit de la IVe République, acceptant mal les critiques gaullistes à l'encontre de ce régime moribond, Jacques Larché est resté directeur au secrétariat général du gouvernement de la Ve République de 1958 à 1974, tout en démontant les rouages des institutions politiques françaises devant des générations d'étudiants de Sciences po et de l'E.S.S.E.C. Ami de Jacques Chaban-Delmas, il refusa de s'engager au premier tour des présidentielles de 1974, et se retrouva, en août, secrétaire général du gouvernement par intérim, avant d'être nommé président de l'Aéroport de Paris.

Après vingt ans de haute administration, ce giscardien tardif tente aujourd'hui de rattraper le temps perdu sur le plan politique. Sénateur de Seine-et-Marne, responsable national du parti du président, il nourrit, à cinquante-sept ans, une ambition toute neuve.

Lecat, Jean-Philippe

De Pompidou à Giscard 

Ancien ministre de l'Information de Georges Pompidou, Jean-Philippe Lecat est aujourd'hui porte-parole de Valéry Giscard d'Estaing : derrière les titres officiels, il remplit en fait la même fonction. Avec le même brio. Rares sont les ministres qui comprennent les problèmes de l'information : ce Bourguignon à l'œil pétillant de malice est assurément de ceux-là.

Major de la promotion Saint-Just de l'E.N.A., Jean-Philippe Lecat est déjà l'un des poulains de Georges Pompidou lorsqu'il est élu député U.D.R. de Beaune (Côte-d'Or) en juin 1968. Quatre ans plus tard (à trente-sept ans), il est secrétaire d'État dans le gouvernement Chaban-Delmas, dont il est le porte-parole : dans le périlleux exercice consistant à rendre compte des travaux du Conseil des ministres, il réussit là où bien d'autres ont échoué. Grâce à la finesse de ses commentaires, à un humour constant et... au bourgogne qu'il a ajouté au traditionnel casse-croûte offert aux journalistes !

L'élection présidentielle de 1974 ralentit la progression de ce jeune ministre qui, par ailleurs, a pris des responsabilités au sein du mouvement gaulliste (il fut secrétaire général adjoint de l'U.D.R. en 1971) : au premier tour, il ne parvient pas à choisir entre Chaban, dont il fut le porte-parole, et Giscard, dont il fut le secrétaire d'État au budget. Ses hésitations un peu trop voyantes (il lance à la fois, dans sa circonscription, le comité de soutien à Chaban et le comité de soutien à Giscard) lui vaudront la méfiance des gaullistes et des giscardiens. Et lui coûteront son siège de député, qu'il ne parvient pas à retrouver en octobre 1974 : il est battu par un radical de gauche.

Une courte traversée du désert, pendant laquelle Valéry Giscard d'Estaing lui confie néanmoins des missions précises (un rapport sur l'imprimerie, une délégation aux économies de matières premières), puis il est nommé, en septembre 1976, chef du service de presse de l'Élysée. Une tâche dans laquelle il excelle, en attendant quelque belle promotion.

Le Go, Yves

Le courrier de la campagne 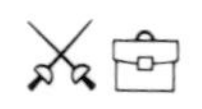

Giscardien de la première heure, cet économiste souriant est, à quarante-quatre ans, un des piliers des clubs Perspectives et Réalités. Il en est un élément assez représentatif, très à l'aise parmi ces jeunes cadres plus intéressés par la réforme de l'entreprise que par les problèmes d'adduction d'eau qui font les bonnes campagnes électorales.

Membre du comité directeur des clubs giscardiens depuis dix ans (et il en fut un temps le secrétaire général adjoint), il contribua activement à la rédaction de leur première charte, *Imaginer l'avenir*, paru en librairie en 1972. Deux ans plus tard, c'est lui qui fut chargé du secteur « courrier » de la campagne présidentielle de V.G.E. : une responsabilité aussi lourde – entre 7 000 et 8 000 lettres par jour ! – qu'ingrate.

Ancien membre du cabinet de Giscard (1969-1971), ancien secrétaire général adjoint du Centre français du commerce extérieur, aujourd'hui secrétaire général du Conseil supérieur des classes moyennes, ce père de six enfants a toujours été tenté par la politique politicienne, sans jamais franchir le pas. Il s'en est fallu de peu, en 1973, mais Michel Poniatowski le dissuada de se présenter dans la circonscription qu'il convoitait dans le Val-d'Oise. Une occasion qui se représentera peut-être un jour : on est mordu ou on ne l'est pas.

Lehideux, Bernard

Le permanent 

Bernard Lehideux fut d'une rare précocité politique : à treize ans, en mai 1958, il distribuait déjà des tracts favorables... au général de Gaulle – « une erreur de jeunesse », dit-il aujourd'hui. A dix-huit ans, il participait à la campagne du député C.N.I. Jean Legaret puis, en 1965, à la campagne présidentielle de Jean Lecanuet. En 1966, lorsqu'il devient l'un des premiers « permanents » de la F.N.R.I. naissante, il n'est déjà plus un débutant.

Ami de Roger Chinaud, qu'il a rencontré dans les rangs des Jeunesses fédéralistes européennes, il devient son collaborateur. En 1975, il lui succédera comme secrétaire national des R.I. à l'implantation. Cet apparatchik apprécié des cadres départementaux du parti, est aujourd'hui délégué national du P.R., et demeure, à travers les nombreux changements survenus à la tête du mouvement giscardien depuis quatre ans, l'un des pivots du parti, alliant une parfaite connaissance des hommes à celle des situations électorales locales.

Devenu par trop indispensable pour les campagnes électorales des autres, il a du mal à se détacher de ses fonctions et à faire lui-même l'expérience du suffrage universel. En mai 1976, ce vieux militant de trente-trois ans a fondé le journal *L'Avant-centre*, bimensuel dispensant aux « giscardiens qui se battent » *(sic)* des arguments contre le P.C. et le P.S.

Homme de contact, simple et direct, Bernard Lehideux a noué des relations chaleureuses avec les journalistes qui apprécient son ouverture et son humour (il n'a pas été par hasard collaborateur occasionnel à *L'Os à moelle*). Constamment sur la brèche, multipliant les tournées en province, il a toujours su, cependant, préserver sa vie de famille ; ce qui constitue, dans le milieu politique, une sympathique exception.

Lelong, Pierre

« Un travail idiot »

Membre du cabinet du Premier ministre Georges Pompidou pendant cinq ans, Pierre Lelong s'est attiré une réputation de spécialiste de l'agriculture en tant que directeur du Fonds d'orientation et de régulation des marchés agricoles (F.O.R.M.A.).

Entré au gouvernement sous la présidence de Valéry Giscard d'Estaing, son poste de secrétaire d'État aux P.T.T. lui fut fatal. Plus technicien que politique, il fut incapable de faire face à la longue grève du tri postal de novembre 1974, et prêta le flanc aux critiques syndicales les plus vives en reconnaissant que les postiers affectés au tri faisaient un « travail idiot ». Une maladresse qui lui a coûté cher : démissionnaire à la fin de la grève, il a réintégré la Cour des comptes, où il a rang de conseiller référendaire.

Inconditionnel de Michel Poniatowski comme il le fut jadis de Michel Debré, Pierre Lelong décide à cette époque d'adhérer aux R.I., ajoutant une troisième étiquette à son blason politique : alors qu'il était encore dans les rangs gaullistes (il fut en 1971 secrétaire général adjoint de l'U.D.R.), il fut « prêté » par l'U.D.R. aux centristes pour permettre à ceux-ci, en 1973, de former un groupe parlementaire.

Malmené par la politique, ce coléreux capable de briser un téléphone dans un mouvement d'humeur, a abandonné sa difficile circonscription de Morlaix à son suppléant Jean-Claude Rohel, et lui a préféré le prestige et le calme de la nouvelle Cour des comptes européenne.

Le Masne, Loïc

L'homme pressé 1974

Il mène sa vie professionnelle comme sa vie politique : à 120 à l'heure. Loïc Le Masne, jeune industriel nantais qui ne fait pas ses quarante ans, n'hésite pas à bousculer les habitudes et les traditions dans une région tranquille et parfois empesée. Dynamique et ambitieux, il milite à la Jeune Chambre économique et au Centre des jeunes dirigeants d'entreprise, dont il fut le président régional.

Conseiller municipal de Nantes en 1971, il se fait élire conseiller général de Loire-Atlantique en 1976, à l'issue d'une campagne très enlevée, battant au passage un vieil indépendant. Dans le même temps, il conquiert la présidence du club Perspectives et Réalités de Nantes, prenant la place de l'ancien président national des clubs, André Pestel, qui a choisi de devenir le suppléant du député gaulliste Alexandre Bolo. Un siège dont le titulaire pourrait bien être, prochainement, Loïc Le Masne.

Lenoir, René

Un homme libre

Quel itinéraire déroutant que celui de René Lenoir ! Ce pied-noir de cinquante ans a débarqué en métropole pour y mener des études brillantes qui le conduiront à l'E.N.A. Sorti de l'école de la rue des Saints-Pères « dans la botte », il renonce pourtant aux grands corps pour devenir contrôleur civil au Maroc. Ses sept ans d'Afrique en feront un bon connaisseur des problèmes du tiers monde.

On le retrouve en 1969 directeur adjoint du cabinet de Michel Debré, alors ministre de la Défense, puis directeur général de l'action sociale au ministère de la Santé publique, en 1970, et dans le même temps, administrateur de la S.N.I.A.S. En 1974, il fait une sorte de bilan de son action en matière d'action sociale, dans un livre écrit en dix-huit jours, *Les Exclus*, qui suscite un réel intérêt.

Ministre technicien, René Lenoir n'est pas un homme de système. La pensée de cet ancien militant d'action catholique l'insère parfaitement dans la ligne giscardienne lorsqu'il affirme : « Je rejette le capitalisme conquérant, mais je demeure un libéral. » Valéry Giscard d'Estaing apprécie la démarche intellectuelle de ce non-conformiste, et le charge en 1976 d'organiser et de coordonner la diffusion de son livre *Démocratie française*. Dans la foulée, René Lenoir crée, avec Olivier Stirn, Bernard Stasi et Lionel Stoleru, le Carrefour social-démocrate, tentative d'organiser en France un courant de centre gauche, se réclamant d'un libéralisme social moderne.

Cet ancien délégué C.F.D.T., qui anima nombre de réunions des clubs Perspectives et Réalités, qui fut aussi membre de la commission épiscopale Justice et Paix, est à la croisée des chemins. Une fois de plus.

Léotard, François

Le P.R. est né à Fréjus. Belle consécration pour le jeune maire de la ville, François Léotard (trente-cinq ans), lui-même fils d'un ancien maire de Fréjus. La façon dont il a su s'imposer comme tête de liste municipale en 1977, dans une situation politique locale très complexe, donne la mesure de son talent. Peut-être a-t-il été aidé aussi par son expérience d'animateur du club Agir pour l'Avenir, cette école de formation des futurs candidats giscardiens : il en a réussi, en tout cas, les travaux pratiques, au cours de ce scrutin qui profita surtout à la jeune génération socialiste.

Un physique de jeune premier (il n'a rien à envier à son frère, l'acteur Philippe Léotard), un contact chaleureux, un peu de calcul et beaucoup de chance : le premier magistrat de Fréjus, sous-préfet de formation, ne manque pas d'atouts dans son combat contre le député gaulliste Mario Bénard.

Décidément, celui qui fut jadis un des piliers de la section C.F.D.T. de l'E.N.A. paraît vouloir brûler les étapes.

Ligot, Maurice

Zigzag

Membre du cabinet du ministre de l'Intérieur Roger Frey entre 1964 et 1967, le gaulliste Maurice Ligot brave son patron en se présentant, en 1967, contre un député U.N.R., René le Bault de la Morinière. Et c'est l'échec. Sa conquête de la mairie de Cholet, deux ans plus tôt, n'a pas suffi. Maurice Ligot se retrouve dans un obscur bureau du ministère de l'Industrie, mais il n'a pas dit son dernier mot : profitant de ses nombreux temps libres, il parvient, six ans plus tard, à se faire élire député. Après un court moment d'hésitation, il s'inscrit au groupe Union centriste de l'Assemblée. Apparenté depuis juillet 1974 au groupe parlementaire giscardien, sa qualité de vice-président du C.N.I. lui vaut d'être appelé au gouvernement, avec mission de pousser ses amis dans un grand ensemble giscardo-indépendant. L'évolution récente du parti d'Antoine Pinay et de Camille Laurens laisse penser qu'il n'est pas parvenu à ses fins.

De tempérament plutôt conservateur, Maurice Ligot est entré au gouvernement en 1976, à quarante-neuf ans, comme secrétaire d'État à la fonction publique. Ce qui porte à croire que Giscard lui a pardonné ses deux votes négatifs sur l'avortement et les plus-values.

Long, Raymond

Un préfet engagé

Commencée en 1944, la longue carrière préfectorale de Raymond Long l'a amené, de 1959 à 1962, à fréquenter les cabinets des gaullistes Maurice Bokanowski, Frey et Pompidou. Ce dernier, alors Premier ministre, le nomme préfet d'un département cher à son cœur, le Cantal. Secrétaire général adjoint de la préfecture de Paris de 1968 à 1973, il se lie d'amitié avec Jacques Dominati. Après la campagne présidentielle de 1974 (rue de la Bienfaisance, il est chargé de l'accueil des délégations), il milite auprès de celui qui vise alors la mairie de Paris, au sein de l'association « dominatiste » Paris-Avenir. Délégué national des R.I., il fut l'auteur d'un rapport sur la réforme de l'entreprise, un an après le « rapport Sudreau ».

Depuis mars 1977, il est conseiller municipal de Paris et l'un des principaux animateurs de la fédération de Paris du parti républicain.

Longuet, Gérard

Sûr de lui et dominatiste 

Énarque de la promotion François-Rabelais (celle du maire de Fréjus, François Léotard, et du conseiller de François Mitterrand, Laurent Fabius), Gérard Longuet est de ces jeunes administrateurs qui ne peuvent se contenter longtemps de la grisaille technocratique. Directeur de cabinet du préfet de l'Eure, il est remarqué par le député René Tomasini qui le prend comme chef de cabinet, en 1974, lorsqu'il est nommé secrétaire d'État chargé des relations avec le Parlement. De retour en préfecture, il est rappelé début 1976 par Michel Poniatowski et envoyé auprès du secrétaire général des R.I., Jacques Dominati.

Tout sépare les deux hommes — sauf la conviction politique. Pourtant, leur entente est réelle, et Gérard Longuet deviendra directeur de cabinet de Jacques Dominati lors de l'entrée de celui-ci au gouvernement en mai 1977. En marge de ses nouvelles tâches, il commence à s'intéresser à la circonscription de Bar-le-Duc, dans la Meuse, où il se présentera en mars 1978. Sans délaisser toutefois le voilier qu'il construit de ses mains, week-end après week-end dans sa maison de campagne.

Madelin, Alain

Le formateur

Quel responsable départemental, quel candidat aux cantonales ou aux législatives, quel ministre désireux de travailler son « image » n'a pas eu à subir les foudres d'Alain Madelin ? Bourru, carré, peu diplomate, fuyant les mondanités, détestant la « réunionite » dont souffre, comme les autres, le parti giscardien, travailleur acharné, ce militant passionné cache sous un visage d'adolescent (de trente et un ans) une timidité certaine et une volonté farouche. Sa spécialité : la formation. Dans les « universités politiques » ou autres stages de perfectionnement qu'il organise depuis trois ans, gare à celui qui ne regarde pas la caméra en face, qui rédige un tract comme une dissertation de philo, ou qui ne connaît pas par cœur le budget de la commune où il est candidat !

Auteur d'un *Manuel de campagne* pour les candidats P.R. de 1978, Alain Madelin a fait lui-même l'expérience du terrain : en 1973, parachuté dans la banlieue sud de Paris, il obtient 45 % des voix, au second tour, contre le leader communiste Guy Ducoloné, solidement implanté depuis 1962. Un beau score.

Avocat au barreau de Paris, publicitaire, ancien journaliste à *Combat*, cofondateur et rédacteur en chef de *L'Avant-centre*, Alain Madelin est un spécialiste des problèmes syndicaux et sociaux. Lui-même d'origine modeste (son père, O.S. à treize ans, fut exclu du P.C. pour trotskisme), il est profondément anticommuniste et défend avec vigueur les thèses libérales. « Je suis convaincu, dit-il, que pour lutter efficacement contre les illusions du marxisme sous toutes ses formes, il est nécessaire de mener un combat d'idées avec des hommes efficaces... et formés ! »

Maigrat, Hubert

L'O.S. giscardien

Lorsque Lionel Stoléru est nommé secrétaire d'État aux Travailleurs manuels, il cherche à étoffer son cabinet avec quelqu'un qui soit plus proche des réalités que les énarques de son entourage. Et il se souvient d'un syndicaliste vosgien qui lui avait porté la contradiction avec talent, lors d'une émission de télévision, peu de temps auparavant. C'est ainsi qu'un ouvrier spécialisé de chez Peugeot, délégué C.F.D.T. de surcroît, troqua son bleu de travail contre le costume trois-pièces des conseillers ministériels.

Hubert Maigrat, trente-cinq ans, fils d'ouvrier,

ancien menuisier-ébéniste, est aujourd'hui secrétaire national du P.R. chargé du travail et de l'emploi, après être passé par le bureau politique des Jeunes Giscardiens de G.S.L. – au mépris des réactions, parfois virulentes, de certains responsables cédétistes. Il a décidé d'être candidat aux législatives de 1978 à Épinal.

Maigret, Bertrand de

Les mauvais coups du XVe ⩓

A trente-cinq ans, que pouvait encore souhaiter Bertrand de Maigret ? Un physique de jeune premier, un poste de directeur à la Chase Manhattan Bank, une femme merveilleuse (il a épousé la blonde Isabelle, fille de Michel Poniatowski, et... ancienne championne de France de natation), trois enfants, des amis, des relations. Un bon début de carrière politique aussi : entré au Conseil de Paris en 1971 (il en sera même vice-président), suppléant du député gaulliste du XVe arrondissement Nicole de Hauteclocque, il présidait le Comité national de soutien au président de la République qu'il avait animé pendant la campagne de 1974. Une réussite tous azimuts, et des espoirs nombreux.

Ayant démissionné de la Chase pour se consacrer totalement à la vie politique, il est une des victimes de la « bataille de Paris » de mars 1977 : conduisant avec Françoise Giroud la liste qui, dans le XVe, s'oppose à celle de Nicole de Hauteclocque, il est battu à l'issue d'une campagne où les coups ont volé bas. Quelques mois plus tard, les comités de soutien à Valéry Giscard d'Estaing sont intégrés, à Fréjus, dans le nouveau parti républicain, où on lui confiera la responsabilité du secrétariat national.

Bertrand de Maigret a préparé de longue date sa candidature à la députation, toujours dans le XVe arrondissement de Paris : c'est sans doute ailleurs, cependant, que se jouera son avenir politique en mars 1978. Ce grand jeune homme au sourire engageant a déjà montré, un jour de juillet 1968, qu'il ne manquait pas de courage physique et moral (il fut grièvement blessé par un malfaiteur qu'il tentait d'arrêter). Il lui faudra désormais faire preuve d'une autre qualité : l'obstination.

Malaud, Philippe

Un croisé de l'anticommunisme

Philippe Malaud n'est pas un homme de gauche. Et ne s'embarrasse pas de nuances pour le faire savoir. Ce croisé de l'anticommunisme, qui fut secrétaire d'État à la fonction publique, traque aujourd'hui les « fonctionnaires rouges », comme il fustigeait, en tant que ministre de l'Information, les « mabouls intellectuels » de l'O.R.T.F. Son image d'homme de droite, et surtout son antiréformisme primaire, l'ont éloigné du parti giscardien, dont il guigna pourtant la direction (il faillit poser sa candidature au secrétariat général des R.I. en janvier 1975). Il s'attira même les foudres du parti du président lorsqu'en janvier 1976, il publia dans son journal local *Nouveaux Jours* cette énorme manchette : « Les réformes : Nous n'avons pas voté pour ça ! »

Militant précoce (il déclare avoir collé des affiches dès l'âge de treize ans), diplomate de formation (mais pas de tempérament), il fut remarqué au Caire, en 1954, par un ambassadeur de France nommé Couve de Murville : six ans plus tard, après avoir fait l'E.N.A., il est appelé au cabinet du ministre des Affaires étrangères du général de Gaulle, où il restera jusqu'en 1967. Lorsque Maurice Couve de Murville devient Premier ministre, au lendemain des événements de mai 1968, il confie à son ancien chef de cabinet, qui vient de se faire élire député de Saône-et-Loire, le secrétariat d'État à la fonction publique. Philippe Malaud restera au gouvernement jusqu'en février 1974.

Ancien adhérent du R.P.F., entré chez les Républicains indépendants en 1965, il est aujourd'hui délégué aux élections du C.N.I., où toutes ses initiatives ne font pas l'unanimité.

Sa femme, la brune et pétulante Chantal, a suivi une évolution politique parallèle à celle de son mari : membre du bureau politique des R.I., où elle anima jadis une éphémère commission féminine, elle est exclue du parti pendant les municipales de Paris, en 1977, ayant choisi Jacques Chirac contre le candidat giscardien. Elle a, elle aussi, rejoint le C.N.I.

Marcellin, Raymond

Légitimiste 

Un recordman du portefeuille. De 1948 à 1974, rares sont les périodes où Raymond Marcellin n'a pas été ministre. Curieusement, il a commencé cette interminable carrière ministérielle en tant que sous-secrétaire d'État à l'Intérieur auprès de Jules Moch, et la terminera (provisoirement ?) comme ministre de l'Intérieur à part entière, de 1968 à 1974. Des grèves insurrectionnelles des Houillères, en 1948, aux séquelles de Mai 1968 : tout un symbole.

Politicien professionnel (ses activités d'avocat ne sont plus qu'un souvenir), Raymond Marcellin est le prototype du notable indépendant et légitimiste. Avec, en plus, une profonde connaissance de la France électorale, et une extraordinaire vocation d'homme du terrain. Dans son département du Morbihan, il a rapidement éliminé le M.R.P., parti « breton » par excellence, en cumulant les mandats : élu député en 1946, il ne sera plus jamais battu ; entré au conseil général en 1953, il en est le président depuis 1965 ; maire de Vannes en 1965 à 1977, il a cédé sa place à un professeur de lettres de cinquante et un ans, Jean-Pierre Chapel, avant de représenter le Morbihan au Sénat, en 1977.

En 1962, il fait partie de ces indépendants qui, avec Valéry Giscard d'Estaing, refusent de suivre le C.N.I. dans son opposition à de Gaulle. Mais aussitôt après, il fait barrage au projet de fusion de l'U.N.R. et des francs-tireurs du C.N.I., permettant à ceux-ci de former le groupe des Républicains indépendants à l'Assemblée nationale. Lorsqu'en 1969, il s'oppose à Valéry Giscard d'Estaing en plaidant pour le « oui » au référendum, soutenu en cela par la majorité du groupe R.I., il ne fait qu'exprimer la même conviction qui l'animait sept ans plus tôt : on doit se distinguer des gaullistes, mais toute opposition à de Gaulle est vouée à l'échec.

Il était ami de Pompidou, comme il reste fidèle à Giscard. Mais politiquement, à travers les deux hommes, c'est d'abord au président de la République qu'il accorde son soutien.

Mayoud, Alain

Taciturne

Cadre régional du Crédit agricole, entré dès 1971 au conseil municipal de Saint-Romain-de-Popey (Rhône) – dont il est maire aujourd'hui – Alain Mayoud préparait déjà sa campagne législative de 1973 lorsque les R.I. en ont fait l'un de leurs « espoirs ». Dès son élection, ce blond célibataire un peu taciturne, au regard dur, s'est rapidement intégré dans l'appareil du parti malgré son peu de goût pour la discipline.

Ancien syndicaliste C.F.T.C., coprésident du Groupe d'étude pour l'aménagement rural (G.E.P.A.R.), Alain Mayoud est actuellement secrétaire national du P.R. chargé des questions agricoles. Il a trente-cinq ans.

Médecin, Jacques

Les salades niçoises 

Intarissable. Dans un restaurant de la Promenade des Anglais, dans son bureau de l'avenue de l'Opéra, ou à une quelconque tribune politique, Jacques Médecin fait preuve d'une faconde toute méridionale, qu'il parle de sa ville de Nice, de sa collection de trains électriques miniatures, de sa passion pour les roses, ou... de la société libérale avancée.

Maire de Nice (il prit la suite de son père, Jean Médecin, décédé en 1966), cet ancien journaliste au visage barré d'une épaisse moustache s'est transformé en commis-voyageur de la Baie des Anges, arborant l'écusson de sa ville sur un éternel blazer, pour en faire un grand centre touristique. Il est notamment à l'origine du Festival international du livre et du Festival international de Jazz de Nice, de la promotion de sa cité dans le domaine du jeu, et... de son jumelage avec la ville du Cap (Afrique du Sud) qui lui attirera de violentes critiques.

Antigaulliste, cet ancien réformateur à qui l'on prête des sympathies d'extrême droite, a rejoint les giscardiens en 1975, après avoir soutenu la campagne de V.G.E. en 1974. Il est entré au gouvernement en 1976 comme secrétaire d'État au tourisme.

Auteur d'un livre sur *La Cuisine du comté de Nice,* cet homme politique sans complexe est une des cibles préférées du *Canard enchaîné*, qui lui reproche de trop bien naviguer au milieu des « salades » niçoises...

Mentré, Paul

Du pétrole et des idées 

Polytechnicien et énarque comme Giscard, Paul Mentré de Loye entre au cabinet du ministre des Finances en 1970, et prend une part importante au développement des clubs Perspectives et Réalités dont il rédige, avec Charles-Noël Hardy et Yves Le Go, le manifeste *Imaginer l'avenir*. Il vient d'être nommé directeur du Crédit national, lorsque survient la campagne présidentielle de 1974, rue de la Bienfaisance, il anime la cellule «réflexion», préparant avec Christian Bonnet et Jean Serisé les thèmes de la campagne et les discours de V.G.E.

L'allure décontractée, la mèche rebelle, cet homme de dossier est aussi un esprit pratique. Ainsi, avant de prendre ses fonctions de délégué général à l'Énergie et de président du Conseil de direction de l'Agence pour les économies d'énergie, il entreprend un véritable tour d'Amérique pour recenser les techniques du Nouveau Monde en la matière.

D'un naturel très accueillant et très ouvert, Paul Mentré (de Loye est le nom de sa mère) est membre du Racing et du Polo de Paris.

Morellon, Jean

Le suppléant 

La même calvitie, la même décontraction, mais très différent de carrure et de formation, ce médecin du Puy-de-Dôme a fait un bon suppléant de Valéry Giscard d'Estaing qu'il a rencontré en 1955. Conseiller municipal de son village natal de Messeix depuis 1953, maire depuis 1965, Jean Morellon est entré à l'Assemblée nationale en 1969, lors de la rentrée de Valéry Giscard d'Estaing au gouvernement.

En 1978, pour la première fois, il se présentera comme candidat à part entière. Il sera auréolé d'un double prestige : celui qu'entoure sa position d'ex-suppléant du président, et celui d'ex-président du Conseil de la région Auvergne.

Mousset, André

Avec Ponia

C'est en 1966 qu'André Mousset rejoignit les Républicains indépendants, dont il fut l'attaché de presse jusqu'à ce que Michel Poniatowski l'emmène avec lui au ministère de la Santé en 1973. Jusqu'en 1976, il sera le porte-parole de « Ponia ». Bourru, la voix grave, il aura pour fonction essentielle de bien « vendre » les nombreuses « petites phrases » de celui-ci. Une tâche difficile, quand on sait la timidité et le manque d'assurance de Michel Poniatowski dès qu'apparaît un micro ou une caméra ; il faut bien souvent faire le tri entre les gaffes volontaires et celles qui ne le sont pas...

André Mousset est aujourd'hui, à cinquante ans, directeur à la S.O.F.I.R.A.D., aux côtés de son ex-collègue de l'Élysée Xavier Gouyou Beauchamps.

Nokovitch, Miléna

Ce que femme veut

« Il faut avoir la sérénité d'accepter ce qu'on ne peut changer, le courage de changer ce qui peut l'être, et la sagesse de connaître la différence. » En plaçant son livre *Ce que femme veut* sous cette citation très giscardienne de Marc Aurèle, Miléna Nokovitch affiche son réformisme prudent et pragmatique.

Giscardienne sans effort, cette blonde jeune femme s'est d'abord affirmée dans les affaires, dans l'Aisne, où elle est chef d'entreprise. Elle participa dès 1966 aux clubs Perspectives et Réalités, à Paris, et devint la première femme élue au comité directeur des clubs : un symbole. Elle est aujourd'hui secrétaire générale du très important club de Paris-Est.

Élue conseiller municipal d'Asnières en 1971, puis maire adjoint en 1977, elle brigue la succession au Parlement de l'ancien ministre gaulliste Albin Chalandon, qui apprécie l'intelligence et le dynamisme de cette femme d'action.

Ornano, Anne d'

Sur les planches

Mince, cheveux blonds et courts, un petit air espiègle et un *jean* délavé, Anne d'Ornano apparut pendant la campagne présidentielle de 1974 comme une militante de choc. Cette ancienne infirmière qui pilote elle-même son avion (outre le tour de France aérien qu'elle fit avec un coéquipier nommé Louison Bobet, elle donne des baptêmes de l'air pour les ouvriers des usines de sa région) est aussi à l'aise pour coller des affiches que pour recevoir chez elle le Tout-Paris. Inventeur du slogan « Giscard à la barre », elle s'est présentée elle-même à la mairie de Deauville en 1977, à la place de son mari, retenu à Paris pour affaires électorales urgentes (*cf* ci-dessous).

Son frère, Arnold de Contades, eut des responsabilités importantes dans le groupe Prouvost (*Le Figaro*, puis *Paris-Match, Télé-7-Jours,* etc.)

Ornano, Michel d'

Oublier Paris

Maire de Deauville de 1962 à 1977, Michel d'Ornano s'est vu propulsé dans la bataille des municipales de Paris sans plaisir excessif. Il a retiré de cette campagne quelques profondes blessures, mais aussi une estime renforcée de la part du président de la République. Celui-ci l'a maintenu au sein de l'équipe gouvernementale, où il entra au lendemain de l'élection de V.G.E. en 1974 comme ministre de l'Industrie, lui confiant le dossier de la culture et de l'environnement.

Quand on compte trois maréchaux de France dans ses ancêtres, il n'y a pas de mal à figurer parmi les mousquetaires de Giscard. Sa fidélité à « Valéry », qu'il tutoie, lui a valu autant d'honneurs que de charges : président du groupe R.I. à l'Assemblée nationale en 1973, secrétaire général des R.I. en 1974, vice-président du parti de 1975 au congrès de Fréjus, il est récemment rentré au bureau politique du parti républicain. Parallèlement à ce cursus très parisien, celui qui a proposé à plusieurs reprises l'interdiction du cumul des mandats s'est taillé, entre André Bettencourt et Jean Lecanuet, un « duché » de Normandie à sa mesure : député du Calvados (depuis 1967), il fut aussi conseiller général (depuis 1976) et président du conseil régional de Basse-Normandie (depuis 1974).

D'une courtoisie jamais démentie, ce grand garçon de cinquante-trois ans est bien décidé à faire oublier, peu à peu, le douloureux intermède parisien. Cela prendra du temps.

Paquet, Aimé

Un père fondateur

C'est à la Libération que cet agriculteur de l'Isère a commencé sa carrière politique : conseiller général depuis 1945, maire de son village de Saint-Vincent-de-Mercuze depuis 1947, député depuis 1951, ce notable de soixante-quatre ans est entré au gouvernement, comme secrétaire d'État au Tourisme, dix mois avant l'élection présidentielle. En 1974, il est nommé Médiateur, inaugurant ainsi une fonction jusqu'alors inconnue en France, dont les giscardiens demandaient la création depuis longtemps, et qui fut mise au point sous la présidence de Georges Pompidou.

Sa nouvelle mission exigeant une neutralité totale, Aimé Paquet s'est retiré de la politique politicienne après avoir été l'un des leaders R.I. pendant des années : cofondateur du groupe (en 1962) et du parti (en 1966), il fut président du premier et vice-président du second. Son prestige reste grand dans les rangs indépendants, et l'on continue, dans son département, à se réclamer de son autorité.

Pasquier, Nicole

La condition féminine 

Lorsque en septembre 1976 Françoise Giroud quitte le secrétariat d'État à la Condition féminine, c'est sa déléguée pour la région Rhône-Alpes qui la remplace, mais sans rang de ministre, sous les ordres direct du Premier ministre. Une succession bien lourde à assumer, qui projette au premier plan de l'actualité cette jeune femme coiffée d'un éternel casque d'or, souriante et active.

Docteur en médecine, Nicole Pasquier, née Niogret, a de qui tenir : un grand-père qui fut médecin des hôpitaux de Lyon, et un mari professeur agrégé de médecine générale, à Lyon également. Elle est spécialisée, pour sa part, dans la neuropsychiatrie infantile.

Mère de trois enfants, elle a d'abord milité dans les mouvements d'action catholique, avant d'entrer en politique sur la pointe des pieds en 1971 : cette année-là, elle adhère aux R.I. dès son élection au conseil municipal de Caluire, dans la banlieue de Lyon. Elle est aujourd'hui premier adjoint de cette ville de 45 000 habitants. Il était inévitable qu'elle rencontre Valéry Giscard d'Estaing, à Lyon, pendant la campagne présidentielle. Et il serait étonnant qu'elle ne soit pas élue, tôt ou tard, député de cette même région.

Pelletier, Monique

Madame Antidrogue DC

On peut être petite-fille d'académicien, femme et fille de banquier, et circuler dans Paris en solex. La cinquantaine sportive, le solitaire conséquent et le ton distingué, Monique Pelletier n'a rien d'une dame tranquille de Neuilly : mère de sept enfants, avocate au barreau de Paris dès 1946, juge assesseur au tribunal pour enfants de Nanterre, elle a dirigé de 1971 à 1977 l'École des parents et des éducateurs.

En 1969, elle milite à la commission féminine du C.D.P. – le parti centriste de Jacques Duhamel – et se fait élire au conseil municipal de Neuilly en 1971. Elle y siège toujours aujourd'hui, comme adjoint au maire, mais y représente le parti giscardien : en 1975, elle a adhéré aux R.I. et siège actuellement au bureau politique du parti républicain.

En 1976, le président de la République la charge d'un dossier délicat : la lutte contre la drogue. Pour le grand public, elle devient « Madame Antidrogue ». Et si elle confondait, au début, haschich et héroïne, elle s'est attelée à cette nouvelle tâche avec honnêteté et générosité.

Pierre, Roselyne

« Femmes de valeurs »

A sa sortie de Sciences po, en 1957, Roselyne Regey épouse un agent de change nommé Bernard Pierre et... sa passion pour les opérations de Bourse. Onze ans plus tard, alors qu'elle participe déjà aux travaux des clubs Perspectives et Réalités elle crée les clubs d'investissement Femmes de valeurs, destinés à intéresser aux marchés financiers les femmes qui en ont les moyens. Ce qui pouvait passer, au début pour un passe-temps original pour dames de la bonne société, va prendre peu à peu une ampleur non négligeable : ces clubs sont aujourd'hui au nombre de 250, et l'idée en a été reprise dans plusieurs pays d'Europe et au Japon.

Giscardienne depuis qu'elle a rencontré l'ex-ministre des Finances en 1966, Roselyne Pierre ne se lance dans la politique qu'en 1975, lorsque Jacques Dominati lui demande de créer le Centre de formation civique des R.I., appellation volontairement imprécise pour ce qui devait constituer, en fait, la section féminine du parti giscardien. Malgré son dynamisme et la présence, à ses côtés, de la propre sœur du président, Isabelle du Saillant, son action n'est pas prise très au sérieux par les dirigeants R.I., et l'opération connaît un demi-échec. Dans le milieu politique, il ne suffit pas d'être une femme de valeur...

Pierre-Brossolette, Claude

Du socialisme au giscardisme 

Séduisant, sceptique, intelligent, décontracté : ce sont toujours les mêmes adjectifs qui viennent sous la plume pour décrire Claude Pierre-Brossolette. Fils du héros de la résistance Pierre Brossolette et de Gilberte Brossolette, qui fut sénateur socialiste de la Seine de 1946 à 1958, Claude a dérivé lentement du socialisme vers le giscardisme, en servant successivement quatre ministres des finances. Après l'E.N.A., ce jeune inspecteur des finances entre au cabinet de Robert Lacoste, puis à celui de Paul Ramadier. Il passe alors pour un des espoirs de la S.F.I.O. En 1960, il entre au cabinet de Wilfrid Baumgartner, et devient directeur adjoint du cabinet de Valéry Giscard d'Estaing qui succède à celui-ci en janvier 1962. Pour quelques mois seulement. Il reviendra auprès de Giscard sept ans plus tard, avant d'être nommé en 1971 directeur du Trésor.

L'élection présidentielle de V.G.E. fait de Claude Pierre-Brossolette un secrétaire général de la présidence de la République. Il traite alors beaucoup de dossiers internationaux, ce qui le fait passer, à l'époque, pour un ministre des Affaires étrangères potentiel. Est-ce sa volonté de changer de sphère d'activité, des divergences de vues (ou de méthode) avec Giscard ? Toujours est-il qu'il quitte l'Élysée en juillet 1976. Il est aujourd'hui P.-D.G. du Crédit Lyonnais : un poste de confiance, un poste bien rémunéré aussi. Il a quarante-neuf ans.

Marchant sur les traces de son père (qui fut candidat R.I. aux législatives de 1968 dans le Val-d'Oise), sa fille Sylvie s'est présentée sans succès, aux municipales de 1977, à Paris, sur une liste « d'Ornano ». Elle a publié récemment *La Cuisine des jeunes* en collaboration avec son amie intime Valérie-Anne Giscard d'Estaing : des recettes qui n'ont rien d'électoral.

Pintat, Jean-François

Eau, gaz et électricité 

Ingénieur sorti de l'École centrale, Jean-François Pintat s'est fait une spécialité : l'énergie. Ancien directeur du Gaz de Bordeaux, il préside aujourd'hui le Conseil national de l'eau, tout en participant aux travaux du Conseil supérieur du pétrole. Au Sénat, il préside le groupe de l'énergie. Au parti républicain, il est chargé, en tant que secrétaire national, des questions énergétiques.

Ce Bordelais, giscardien de longue date, fut élu maire de Soulac-sur-Mer en 1959, conseiller général de la Gironde en 1964, et sénateur de ce département en 1971. Il siège en outre au Parlement européen où il est, naturellement, préposé aux problèmes énergétiques.

Son épouse, Denise Pintat-Landret, membre actif des clubs Perspectives et Réalités, livre depuis des années un combat électoral vigoureux contre le député centriste du Médoc, Aymar Achille-Fould.

Pinton, Michel

L'homme des sondages

C'est à Princeton, aux États-Unis, en 1968, que se sont rencontrés Valéry Giscard d'Estaing et Michel Pinton. Polytechniciens tous les deux, ils ont sympathisé, et le second est devenu le spécialiste ès sondages du premier. Pendant la campagne présidentielle de 1974, Michel Pinton aura, dans ce domaine, un rôle important : son expérience des analyses chiffrées, ses interprétations rigoureuses des sondages, permirent au candidat à la présidence de cerner au plus près les variations de l'opinion.

Pendant la campagne municipale de 1977, en revanche, ses avertissements concernant la mairie de Paris n'ont pas été entendus. Et Michel d'Ornano connut la défaite que l'on sait. Aujourd'hui encore, il conseille aussi bien le président que le P.R. en matière de sondages et d'études, tout en dirigeant une entreprise de conseil en organisation.

Calme, pondéré, très ami avec Paul Dijoud, marié avec une ancienne dirigeante des Jeunes Républicains indépendants, Florence Canivet, Michel Pinton est aussi conseiller municipal de son village natal de Felletin, dans la Creuse, où il fut candidat aux législatives de 1968 et 1973 contre le socialiste André Chandernagor.

Plasait, Bernard

Dominati, un poing c'est tout

C'est en tant qu'animateur de la difficile fédération de Paris des R.I., que ce fidèle de Jacques Dominati a fait la preuve de son efficacité. Bernard Plasait, orfèvre de la Place des Vosges, cantalou d'origine, fut la cheville ouvrière de Paris-Avenir – la machine de guerre électorale destinée à porter Jacques Dominati à l'Hôtel de Ville. Il était naturel qu'il supporte mal l'élimination de son patron (et ami) d'une « bataille de Paris » qui promettait d'être animée, et qu'il préparait depuis longtemps.

Actuel secrétaire fédéral du P.R. pour la capitale, ce militant très convaincu de trente-sept ans est aussi un grand spécialiste de boxe française : il en préside la Fédération nationale (qu'il a fondée), après avoir conquis lui-même un titre de champion de France dans cette discipline peu connue.

Poirier, Jean-Marie

Libéral-gaulliste

Curieuse carrière que celle de Jean-Marie Poirier : condisciple de Robert Poujade et de Pierre Juquin à Normale sup, professeur aux États-Unis et en Irlande, journaliste à *Constellation*, membre du cabinet de Roger Frey pendant deux ans, député U.D.R. de Villeneuve-Saint-Georges pendant onze ans, président du conseil d'administration du district de la région parisienne, aujourd'hui (à quarante-huit ans) maître des requêtes au Conseil d'État. Et giscardien.

Pourquoi le gaullisme ? Parce que, vue de l'étranger, la IVe République faisait mal au cœur de ce jeune universitaire, qui partage avec les gaullistes l'aventure du 13 mai 1958. Pourquoi le giscardisme ? Parce que l'État-U.D.R. répondit de moins en moins aux aspirations de ce « libéral-gaulliste de gauche » (c'est lui qui tente de se définir ainsi), qui connut Valéry Giscard d'Estaing à la présidence de la commission des finances de l'Assemblée nationale, et qui lui apporta son soutien dès le premier jour de la campagne présidentielle.

Adhérent aux Républicains indépendants en 1975, ses compétences en matière d'aménagement et d'urbanisme en font un secrétaire national des R.I., aux relations politiques étendues (et pour cause), et à l'imagination fertile. Maire de Sucy-en-Brie, il fit du champion cycliste Daniel Morellon son adjoint, en présentant à la presse sa liste municipale... à vélo !

Poniatowski, Ladislas

Comme papa

Ladislas, trente et un ans, fils de Michel Poniatowski, entend marcher sur les traces de son père. Doté d'une maîtrise de gestion, il travaille à la Délégation à l'aménagement du territoire (D.A.T.A.R.) puis dans un cabinet d'implantation industrielle.

Parallèlement il milite aux J.R.I., puis aux R.I.

Aux législatives de 1973 il «fait ses classes» en se présentant dans les Hauts-de-Seine contre le député sortant Raymond Barbet, maire (communiste) de Nanterre. Élu en 1977 maire de Quillebœuf (Eure), il vise la circonscription du député socialiste de Bernay, Claude Michel.

Ladislas Poniatowski a épousé la deuxième fille du « baron » gaulliste Olivier Guichard, Constance.

Poniatowski, Michel

« Ponia » 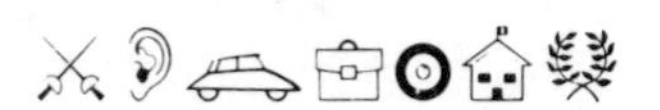

Premier des giscardiens, Michel Poniatowski a été, depuis le début de l'aventure giscardienne, l'indispensable second de Valéry Giscard d'Estaing. Ami, confident, porte-parole, collaborateur et ministre (d'État) de V.G.E., « Ponia » s'est mis à l'écart de la vie politique, au lendemain de l'échec des municipales, abandonnant aussi bien le ministère de l'Intérieur, qu'il détenait depuis l'élection présidentielle, que la direction du parti giscardien. Devenu ambassadeur extraordinaire du président de la République, trouvant le temps de tailler ses rosiers du Rouret et d'achever ses écrits sur Cadoudal et Talleyrand, l'homme des petites phrases et des grandes manœuvres, pour la première fois depuis plus de dix ans, s'est fait discret.

Mais quand on est issu d'une « vieille famille d'origine polonaise et italienne ayant donné à la France un maréchal, à l'Autriche un feldmaréchal, et à la Pologne un roi et un primat », quand on est le plus solide soutien du président et un des artisans de sa victoire, on ne peut rester bien longtemps hors du jeu politique.

Au sortir de l'E.N.A. (où il fut le condisciple de Michel Jobert), Michel Poniatowski alterne les postes à l'étranger et les cabinets ministériels, ceux de Robert Buron, Edgar Faure, Pierre Pflimlin, avant de devenir, en 1959, directeur du cabinet de Valéry Giscard d'Estaing, son ami depuis déjà dix ans.

Élu député du Val-d'Oise en 1967, il devient secrétaire général des Républicains indépendants et s'illustre rapidement par un antigaullisme virulent. Cela lui vaut, en 1968, d'être le seul député sortant R.I. à se voir opposer un gaulliste aux élections législatives. Nommé ministre de la Santé en 1973, il sera l'« assistant spécial » de V.G.E. pendant la campagne présidentielle, avant de se voir confier le ministère de l'Intérieur.

Cet « éléphant qui traverse les magasins de porcelaine » (l'expression est de Georges Pompidou) sans faire d'autres dégâts que ceux qu'il a décidé de causer en entrant, n'a pas réussi, après la victoire de « son » candidat, à trouver ni sa place, ni son style. Bête noire des gaullistes, il n'a pas su les réduire, contribuant même, par ses attaques, à leur rendre une nouvelle jeunesse. Stratège de l'ouverture à gauche, il tient régulièrement des propos anticommunistes qui renforcent son image d'homme de droite. Usé par son poste de ministre de l'Intérieur, il quitte le gouvernement en 1977, en compagnie des deux autres ministres d'État Jean Lecanuet et Olivier Guichard. Son départ, considéré parfois comme une sanction, a peut-être été pour Valéry Giscard d'Estaing une mesure de sauvegarde.

Maire de l'Isle-Adam, grand amateur de chasse, Michel Poniatowski a écrit plusieurs livres d'histoire et de futurologie, sans compter deux ouvrages très politiques: *Cartes sur table* (1972) et *Conduire le changement* (1976).

Pontet, Philippe

Une valeur sûre 

Vice-président des clubs Perspectives et Réalités, ce blond technocrate de trente-cinq ans est d'abord un « politique ». Philippe Pontet, entré au cabinet de Valéry Giscard d'Estaing quatre ans après sa sortie de l'E.N.A., continue à suivre, pas à pas, celui pour qui il ne cache pas son admiration et une réelle affinité intellectuelle.

Pendant les élections présidentielles, il travaille à la cellule « programme et idées » mise sur pied par V.G.E. Au lendemain des élections, le nouveau ministre du Commerce extérieur, Norbert Segard, le choisit comme directeur de cabinet. Il suivra aux P.T.T. ce Lillois au gaullisme de plus en plus nuancé: un poste aussi technique... qu'électoral (ah! ces demandes d'attribution de lignes!).

Mais c'est au secrétariat général des clubs Perspectives et Réalités, qu'il anime depuis 1974, que Philippe Pontet a déployé une activité débordante, aux côtés de Jean-Pierre Fourcade. Il y a donné la mesure de son talent, qui est grand, et de son ambition, qu'il ne cherche pas à dissimuler.

Poutier, Hubert de

Mon colonel

Ce colonel en retraite qui semble toujours débordé, souvent fébrile, est un des fidèles de Michel Poniatowski – il fut son secrétaire politique dès 1966 et organisa ses diverses campagnes législatives dans le Val-d'Oise.

Il fut, pendant les premières années de la F.N.R.I., un de ces envoyés spéciaux du parti, chargés d'implanter les premières fédérations départementales sur l'ensemble du territoire. Depuis 1968, Hubert de Poutier s'occupe surtout de *L'Économie*, hebdomadaire giscardien à dominante économique, qui tire aujourd'hui à 18 000 exemplaires, et qui se signalait parfois, avant 1974, par ses éditoriaux non signés (mais attribués à Michel Poniatowski), où les « petites phrases » étaient monnaie courante : celle fustigeant les « copains et les coquins » est restée célèbre.

Proriol, Jean

Au charbon

Entré en politique en 1966, cet ancien cadre commercial, giscardien jusqu'au bout des ongles, n'en finit pas de se présenter à la députation. Candidat malheureux aux législatives de 1967 et 1968 en Haute-Loire, il parvient à se faire élire sénateur en septembre 1974, à quarante-trois ans. Enfin tranquille ? Point : deux ans plus tard, le tragique décès de Jean-Claude Simon, député et maire de Sauges, le jette de nouveau dans le combat législatif, où il connaît, à quelques dizaines de voix près, une nouvelle défaite.

En mars prochain, cet ami de Victor Chapot (lui aussi originaire de Haute-Loire) se présentera, une quatrième fois, pour défendre les couleurs du P.R. Qui a dit que la vie de sénateur était de tout repos ?

Puech, Jean

Benjamin 

Le plus jeune président de Conseil général de France (trente-quatre ans) est un timide professeur de physique de Rodez, au front déjà dégarni et à l'œil sombre. Élu conseiller général à vingt-huit ans, il rêve de devenir également le benjamin du Sénat en succédant à Roland Boscary-Monsservin.

Menant habilement sa barque entre le C.N.I. et les R.I., qui entretiennent dans l'Aveyron des relations compliquées, il sait utiliser localement ses activités parisiennes (cabinet ministériel, bureau politique du P.R., Conseil économique et social), qu'il a su multiplier grâce... à ses succès aveyronnais. Aux législatives de 1973, il a réalisé un beau score contre le président des radicaux de gauche, Robert Fabre, en obtenant 46 % des voix.

Discret et réservé, ce technicien d'allure modeste

tient davantage, malgré son âge, du notable indépendant que du «jeune loup» giscardien.

Raffarin, Jean-Pierre

De père en fils 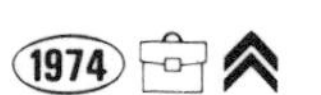

Il faut avoir la passion politique solidement chevillée au corps pour abandonner un début de carrière prometteuse (et bien rémunérée) dans les affaires, et se lancer à l'aventure dans un mouvement de Jeunes Giscardiens à l'origine bien aléatoire. Mais Jean-Pierre Raffarin a attrapé le virus au berceau : son père, qui fut secrétaire d'État à l'agriculture dans le cabinet Mendès France, est toujours conseiller général de la Vienne.

Ancien secrétaire général de G.S.L. (1975-1977), conseiller technique au cabinet de Lionel Stoleru auquel il apporte ses talents de publicitaire, délégué national du P.R. à l'animation (on lui doit la campagne « La majorité aura la majorité »), Jean-Pierre Raffarin vise un siège de député à Poitiers, où sa liste s'est fait battre de justesse lors des dernières municipales.

A vingt-neuf ans, « Raf », comme l'appellent ses amis, est d'abord un animateur et un homme de contacts. Mais déjà le notable perce sous le « jeune loup »...

Reznikoff, Dominique

« Les Cavaliers de la soif »

Le roi du Maroc est son cousin. Cette petite femme brune originaire du Maghreb a écrit un très beau livre, *Les Cavaliers de la soif*, où l'on voit une Berbère, mariée (comme elle) à un Européen, partir à la recherche de ses racines dans le Maroc de ses ancêtres.

Giscardienne des années soixante, Dominique Reznikoff a participé en 1974 au service de presse de la campagne présidentielle de V.G.E., où elle fit la preuve de son dynamisme. Productrice à la télévision, elle a fait pour le premier anniversaire de l'élection de V.G.E., un portrait filmé du président, et plus récemment une émission « L'Afrique convoitée » où elle a interviewé tout ce que l'Afrique compte de chefs d'État.

Elle participe aujourd'hui aux activités de l'Association pour la démocratie de Michel Bassi.

Riant, Denis

L'ami de la famille 

Secrétaire national du P.R. depuis peu, Denis Riant est un giscardien de la première heure. Mais contrairement à la plupart de ses collègues, il n'a aucune ambition politique, et c'est par amitié qu'il s'est engagé : amitié pour Xavier de la Fournière, qui le fit participer aux travaux des clubs Perspectives et Réalités ; amitié pour Isabelle du Saillant, la sœur du président (il est lié aux Giscard d'Estaing par sa femme, Chantal de la Chauvinière) ; amitié enfin pour Roger Chinaud, qui a soufflé son nom à Jean-Pierre Soisson après la création du P.R. lorsqu'il s'est agi de confier à quelqu'un de compétent le secteur des cadres.

Le comte Denis Riant, giscardien de cœur, libéral de formation, ennemi juré de la bureaucratie administrative, grand chasseur devant l'Éternel, est administrateur de plusieurs sociétés, et a d'importantes responsabilités au Crédit commercial de France.

Rideau, Bernard

Le baromètre

Pourquoi Giscard est-il en hausse – ou en baisse – dans les sondages ? Pourquoi tel discours du président a-t-il fait la « une » des journaux et pas tel autre ? A l'Élysée, un jeune publicitaire passe ses journées à chercher des explications à ces mystères de la communication. Bernard Rideau, trente-cinq ans, formé à l'école de Michel Bongrand (l'homme qui introduisit en France la publicité électorale à « l'américaine »), est un spécialiste ès opinion publique. Déjà, pendant la campagne présidentielle, il dirigeait la cellule « évaluation » : c'est à travers ses notes quotidiennes que le candidat V.G.E. mesurait l'impact de certaines déclarations, et la façon dont était perçue son image dans le public.

Ami de Ladislas Poniatowski, Bernard Rideau

cherche depuis longtemps à mettre ses compétences au service des giscardiens. En 1970, il fut l'un des auteurs du projet de *news magazine* giscardien, *L'Indépendance*, projet avorté, mais dont la maquette ressemble à s'y méprendre à celle d'un grand hebdomadaire apparu quelques mois plus tard...

Bernard Rideau préside également le club Perspectives et Réalités de Rochefort-sur-mer, en Charente-Maritime, où il ne serait pas mécontent de se voir élire un jour député.

Riolacci, Jean

« Rio »

Lorsqu'en 1974 Georges Valbon, le président (communiste) du Conseil général de la Seine-Saint-Denis, accueille en grande pompe le nouveau préfet du département, il ne résiste pas au plaisir de souligner que l'Union de la gauche est ici au pouvoir. « Mais, monsieur le président, je ne vois pas de radicaux de gauche », interroge Jean Riolacci. Et d'ajouter aussitôt à la stupeur des élus socialistes et communistes : « Eh bien, le radical de gauche, ce sera moi ! »

« Rio », comme on le surnomme, n'a pas seulement une solide réputation d'anticonformisme : il passe aussi, dans l'administration, pour être le meilleur connaisseur de la France électorale. Le rôle qu'il joue à l'Élysée, depuis février 1977, est essentiellement politique, voire électoral. Avec sa faconde, ses rouflaquettes et son goût pour les

« coups politiques », il détonne un peu au milieu des jeunes messieurs entourant le président, à la fantaisie moins épaisse que leurs attaché-cases. Mais cet homme de centre gauche, plus instinctif que méthodique, s'est inséré sans difficulté dans le dispositif élyséen où il est venu combler, sans nul doute, une lacune.

Préfet et corse, Jean Riolacci fut nommé préfet de la Corse, en 1975, au lendemain de la fusillade d'Aléria (en arrivant sur l'Ile de Beauté il fit sa première déclaration... en corse !). A quarante-neuf ans, ce radical laïque et bon vivant, qui connut François Mitterrand lorsqu'il fut sous-préfet de Clamecy (Nièvre), a fait la preuve de son efficacité.

Un détail encore : il habite rue Bonaparte.

Roger-Vasselin, Benoît

Jeune et giscardien 

Secrétaire national du P.R. à la jeunesse, Benoît Roger-Vasselin est l'un des trois membres de l'équipe dirigeante de G.S.L., avec Dominique Bussereau et Jean-Pierre Raffarin, à avoir été intégrés à la direction du parti républicain après le congrès de Fréjus.

Adhérent aux Jeunes Républicains indépendants à dix-huit ans, sa passion pour la politique s'explique facilement : deux arrière-grands-pères députés (l'un radical et l'autre royaliste !), un père qui fut membre des cabinets ministériels d'André Bord et Henri Duvillard, et la découverte du giscardisme. Il est à partir de 1973, un des principaux responsables des Jeunes giscardiens. Il travaille aujourd'hui comme chargé de mission au cabinet de Paul Dijoud : ancien surveillant d'externat, cousin du champion de tennis Christophe Roger-Vasselin, tout le prédisposait à s'occuper de la jeunesse et des sports...

Rohel, Jean-Claude

L'enseignement libre ⊙ DC ⩓

Produit du terroir breton, de l'action catholique et du M.R.P., ce jeune professeur (de l'enseignement libre) est devenu député lorque Pierre Lelong, dont il était le suppléant, est entré au gouvernement en 1974. En s'inscrivant au groupe des Républicains indépendants, il est devenu giscardien. Poussé par le président du groupe, Roger Chinaud, qui apprécie son sérieux et son ouverture d'esprit, il siège aujourd'hui à la commission des finances de l'Assemblée.

Mais c'est le dossier de l'enseignement libre qui lui a assuré un début de notoriété : il a joué en effet un rôle décisif dans la préparation et la défense de la « loi Guermeur », adoptée par les députés à l'automne 1977 : ce texte, qui porte le nom du député gaulliste de Douarnenez, aurait très bien pu être baptisé « loi Guermeur-Rohel ».

Secrétaire national du P.R., Jean-Claude Rohel suit, pour le parti giscardien, les problèmes d'éducation.

Roux, Chantal de

Cheville ouvrière

Il n'est pas un responsable du parti, même au niveau le plus modeste, qui ne connaisse les longs cheveux blonds de Chantal de Roux. En tant qu'assistante de Roger Chinaud dès 1969, puis de Bernard Lehideux depuis 1973, elle a été, pendant des années, la cheville ouvrière de l'implantation des Républicains indépendants sur le terrain et connaît mieux que personne le fichier des cadres départementaux.

Sablé, Victor

A la Martinique

Avocat à Fort-de-France, fils de magistrat, Victor Sablé fut membre du Conseil de la République de 1946 à 1948, avant de se faire élire député (radical), dix ans plus tard. Il sera constamment réélu depuis, sous des étiquettes diverses. D'abord inscrit à l'Assemblée nationale dans des groupes de centre gauche, il s'est apparenté aux Républicains indépendants en 1967, restant néanmoins aux franges du giscardisme. A Paris comme à la Martinique.

Saillant, Isabelle du

La cause des femmes (1974)

Sœur préférée de Valéry Giscard d'Estaing, Isabelle de Lasteyrie du Saillant a goûté à la politique à l'occasion de la campagne présidentielle, en créant à elle seule deux comités de soutien à V.G.E. : l'un près de son domicile, à Garches, l'autre en Corrèze, où son mari possède le château du Saillant, à une vingtaine de kilomètres de Brive. Après avoir un peu fréquenté les R.I., puis le P.R., elle se déclare déçue par le parti giscardien, et prête son concours à l'Association pour la démocratie de Michel Bassi.

Depuis deux ans, elle s'est lancée dans la défense des femmes candidates, trop peu nombreuses à son goût, allant récemment jusqu'à envisager des candidatures « sauvages » de femmes de la majorité pour secouer la mysoginie chronique des états-majors politiques. Le bruit courut qu'elle-même envisagea de se présenter en Corrèze, contre le maire de Brive, le gaulliste de gauche Jean Charbonnel. Sous les couleurs du giscardisme, naturellement.

Sauzay Philippe

L'agenda

Le 27 mai 1974, Valéry Giscard d'Estaing remonte à pied les Champs-Elysées pour célébrer sa prise de fonction ; deux pas derrière lui, un homme a l'œil à tout. Philippe Sauzay, actuel chef de cabinet du président de la République, est un peu l'homme à tout faire de l'Elysée : il est à la fois précieux, puissant et discret.

Ce sous-préfet de quarante-deux ans, né en Algérie, qui a commencé sa carrière au cabinet d'André Malraux en 1964, est entré à celui de Valéry Giscard d'Estaing en 1971. Pendant la campagne présidentielle, il s'occupa des déplacements du candidat (organisation des voyages et des réunions publiques) en liaison avec Hubert Bassot. Depuis le printemps 1974, ses fonctions au secrétariat général de la présidence de la République en ont fait un des plus proches collaborateurs de Giscard.

Schaeffer, Pierre

L'intendance ⚔

Par-delà les changements de structures, d'hommes ou d'équipes, Pierre Schaeffer demeure. Ce Lorrain silencieux était de la toute petite équipe de permanents qui construisit l'appareil du parti, il y a dix ans. Son calme imperturbable fait l'admiration de tous les responsables locaux qui, depuis ce temps, viennent lui soumettre les problèmes administratifs les plus variés. Pendant la campagne présidentielle, au 41, rue de la Bienfaisance, il fournissait avec le même sang-froid le papier carbone et les Mystère-20.

Cet ancien journaliste, après un passage dans la

publicité, a choisi la politique sans jamais vouloir se présenter à une élection. Un cas unique.

Scrivener, Christiane

La défense des consommateurs 

Avec sa couronne de cheveux blonds, son collier de perles et son sourire un peu figé, on la prendrait volontiers pour une princesse scandinave. Mais les apparences sont trompeuses : Christiane Scrivener ne sort pas de *Point de Vue-Images du Monde*, mais de la très sérieuse Harvard Business School. Ce qui n'est pas si fréquent, surtout pour une femme de cinquante-deux ans. Du reste, lorsqu'elle est appelée au gouvernement comme secrétaire d'État à la consommation, en janvier 1976, le président de la République explique qu'elle a été « choisie, comme un homme, pour sa compétence ». Alors qu'elle avoue, à cette époque, ne rien connaître des problèmes de la consommation. Depuis 1969, elle était directrice de l'Agence pour la coopération technique, industrielle et économique, un organisme public dépendant du ministre des Finances.

Cette femme de tête, que rien ne prédisposait à s'intéresser aux variations de prix des fruits et légumes, s'est vite initiée à cette tâche doublement nouvelle (c'est la première fois qu'un tel secrétariat d'État est créé), et commence à prendre goût à la politique : membre du bureau politique du P.R., elle a manifesté récemment des velléités électorales.

Serieyx, Alain

États d'âme 

Encore un jeune et brillant haut fonctionnaire saisi par la politique. Mais celui-là est d'une variété assez rare : père de six enfants, formé par l'action catholique autant que par l'E.N.A., Alain Serieyx paraît sincère. Et son exigence de pureté s'accommode mal des compromis qui font la réalité politique.

Conseiller technique au cabinet de Jacques Chirac en 1971-1972, il fit partie de ces jeunes loups pompidoliens qui voulurent investir le Limousin. Candidat malheureux aux législatives de 1973 dans la Haute-Vienne, il se brouille avec Jacques Chirac et rompt bientôt avec l'U.D.R. Proche de Valéry Giscard d'Estaing, partisan de l'ouverture de la majorité vers les socialistes, il devint secrétaire national des R.I., chargé des questions agricoles. Resté un peu en marge du P.R., il est cependant le principal rédacteur du « Projet républicain », où il a tenté, une fois de plus, de faire passer certaines de ses idées de réformes sociales.

Membre du M.S.P., un groupement de gaullistes de gauche, ce giscardien « avancé » de quarante-trois ans éprouve toujours du mal à se situer. A Limoges, dont il est conseiller général depuis 1973, il mène un combat politique difficile, que ne simplifient pas ses fréquents états d'âme.

Il est actuellement directeur des finances et du plan de l'Aéroport de Paris, que préside un autre dirigeant giscardien, Jacques Larché.

Sérisé, Jean

L'éminence grise 

Au premier étage de l'Élysée, dans un minuscule bureau anonyme et sans âme, Jean Sérisé reçoit. C'est l'activité essentielle de ce petit homme discret, plein d'humour et de chaleur, dont le titre de conseiller « politique » du Président indique bien le pouvoir.

Depuis sa sortie de l'E.N.A. (il est de la toute première promotion de l'école, comme Alain Peyrefitte), la carrière de Jean Sérisé est divisée en deux : quinze ans sans Giscard, et quinze ans avec Giscard. C'est en 1962, en effet, que Valéry Giscard d'Estaing fit venir à son cabinet, comme conseiller technique, cet administrateur civil qui l'avait accueilli en stage à sa propre sortie de l'E.N.A. Mais au bout de sept mois, à la surprise de ses collègues, Jean Sérisé demande à réintégrer sa direction administrative. En 1964, Giscard le rappelle auprès de lui comme directeur de cabinet, poste qu'il retrouvera en 1969, lorsque revint « aux affaires » celui qu'il ne quittera plus.

Ancien socialiste (en 1948, il militait à la S.F.I.O.), ancien membre du cabinet de Pierre Mendès France, l'inventeur de la « Serisette » peut se permettre de dire avec fierté, aujourd'hui, avoir refusé d'entrer dans les cabinets ministériels, sauf ceux de Mendès et Giscard.

Soisson, Jean-Pierre

Vif-argent 

Dans la petite équipe des fidèles qui accompagnent Valéry Giscard d'Estaing depuis le début de son aventure polititique, Jean-Pierre Soisson fait figure de chevau-léger. Impulsif, impatient, ce vif-argent du giscardisme entreprend beaucoup — et échoue parfois, pour cause de précipitation. Toujours en mouvement, travaillant son image de « jeune leader dynamique » qui lui fut très utile au secrétariat d'État aux universités, il n'hésite pas à pourfendre en public les « notables » de son propre parti, ou à piquer une tête dans la piscine de Talloires en pleines journées parlementaires des R.I., devant cinquante journalistes !

A quarante-trois ans, Jean-Pierre Soisson est peut-être en train de réussir dans la tâche la plus difficile qui lui ait été confiée en dix ans : faire du mouvement giscardien un parti à part entière, un parti qui compte vraiment. Avec la bénédiction de Giscard, qui lui a accordé les pleins pouvoirs et les moyens qu'il réclamait.

Très impressionné par son séjour en Algérie où il a acquis, dit-il, le sens du service public ; fasciné par les radicaux — on n'a pas été impunément au cabinet d'Edgar Faure ; « copain de longue date » de Jacques Chirac qu'il a croisé à l'E.N.A. ; et débordant d'admiration pour Giscard : tel est Jean-Pierre Soisson, mû davantage par l'ambition que par le goût du jeu politique, et qui calmera son ardeur le jour où le pouvoir pourra s'exercer sans combats et sans intrigues. C'est-à-dire jamais. Ses doutes et ses rêves ont servi de base à un roman de Thérèse de Saint-Phalle : *Le Souverain.*

Issu d'une vieille famille de banquiers et de négociants d'Auxerre, ville dont il est maire depuis 1971, député de l'Yonne depuis 1968, l'actuel secrétaire général du P.R., qui était auparavant vice-président des R.I., s'est illustré lors de la campagne législative de 1973 en publiant un livre anti Programme commun, *Le Piège,* en collaboration avec deux autres « jeunes loups » de la majorité, le centriste Stasi et l'ex-gaulliste Stirn.

L'année suivante, il accompagnera Anne-Aymone, la femme du candidat Giscard d'Estaing, pour représenter V.G.E. aux Antilles : une mission de confiance, dans un scrutin présidentiel qui promettait d'être très serré, et où les voix de l'Outremer pouvaient être décisives.

Trois fois secrétaire d'État en deux ans, un bel avenir ministériel attend Jean-Pierre Soisson (« Jean-Pierre », pour ceux qui l'entourent) s'il parvient à se discipliner : sa défaite aux cantonales de 1976 lui a montré que personne, en politique, n'est à l'abri d'un faux pas. Lui moins qu'un autre.

Stoleru, Lionel

L'X et la truelle

Encore une de ces belles intelligences consacrées par les diplômes qui fascinent Giscard. Les Mines, Polytechnique (dont il sort second), et en prime, un doctorat de sciences économiques à l'université de Stanford (Californie). Un beau palmarès !

Pour les futurs économistes de Sciences po, le « Stoleru » sur la croissance est venu compléter le « Barre » sur l'analyse économique, et s'est vu traduire en russe, anglais et portugais. En 1976, son livre *Vaincre la pauvreté dans les pays riches* connut plus qu'un succès d'estime. Son auteur, entré au cabinet de Valéry Giscard d'Estaing en 1969, est devenu le principal conseiller économique du président.

Auteur, professeur et... pianiste, l'économiste Stoleru s'est toujours méfié de l'univers politique – aujourd'hui encore il déclare « n'adhérer à aucun parti ». C'est pour Giscard qu'il dirige une cellule de « têtes pensantes » pendant la campagne présidentielle de 1974. C'est par Giscard qu'il devient secrétaire d'État au Travail manuel, puis à l'Immigration. Il franchit pourtant le pas, à son tour, et entre dans l'arène au congrès de Fréjus, dont il est l'une des vedettes.

Avec méthode et réalisme, il travaille au « magnétoscope » pour humaniser un peu son image de fort en thème. Giscard avait le même âge (quarante ans) lorsque de Gaulle disait de lui : « Son problème, c'est le peuple. » On pourrait sans doute en dire autant de Lionel Stoleru, à voir la façon dont il manie la truelle. Il est vrai que lorsqu'on sort de l'X on n'est pas forcément préparé... au travail manuel.

Taittinger, Pierre-Christian

Oecuménique 

Homme d'affaires, homme de culture et homme politique, Pierre-Christian Taittinger est avocat de formation. Conseiller municipal de la Seine dès 1953, il présida le Conseil de Paris en 1962-1963, occupant ainsi le fauteuil où son père siégea pendant la guerre. Il entra tout naturellement en lice, en 1976, lorsque s'engagea la bataille pour la Mairie de Paris. Il faillit même réaliser sur son nom l'impossible accord entre gaullistes et giscardiens: en bons termes avec les uns et les autres, son œcuménisme se traduisait, au moment de son entrée au gouvernement (janvier 1976), par une double appartenance: inscrit au groupe U.D.R. au Sénat, il était aussi adhérent des R.I. Mais la détermination de Jacques Dominati, puis le duel au sommet entre Michel d'Ornano et Jacques Chirac, lui ôtèrent toute chance de réussir. Il fut cependant un des rares giscardiens à retrouver un siège à l'Hôtel de Ville — grâce aux électeurs du XVIe arrondissement, il est vrai.

Secrétaire d'État aux Affaires étrangères, il se fait réélire sénateur en septembre 1977, et abandonne son portefeuille ministériel, non sans poursuivre une tâche diplomatique d'importance: il est le « Monsieur Désarmement », à qui Giscard confie le dossier des prochaines initiatives françaises en la matière.

Avec ses trois frères — dont Jean Taittinger, ancien ministre gaulliste et ancien maire de Reims

— il administre plusieurs sociétés de renom, dans l'hôtellerie et dans le champagne. Ces nombreuses activités n'ont jamais empêché ce grand bourgeois de cultiver ses goûts artistiques. Musicien éclairé, il savait aussi s'extraire de son bureau de ministre, régulièrement, pour aller contempler quelques minutes tel ou tel chef-d'œuvre du Louvre, entre deux audiences. Il a tenu aussi à assumer, depuis six ans, la présidence de l'Union des Fanfares de France. « P.C.T. » (certains de ses collaborateurs le surnomment « Papa-Charly-Tango », allez savoir pourquoi) offre l'exemple d'un homme politique bien dans sa peau : une espèce en voie de disparition.

Torre, Henri

Ancien ministre 

Lorsque le président Pompidou meurt, en avril 1974, Valéry Giscard d'Estaing est ministre des Finances : son secrétaire d'État au budget est Henri Torre (U.D.R.). Après quelques hésitations, celui-ci choisit le camp de son ministre, en rejoignant le groupe des « 43 » inspiré par Jacques Chirac, qui rassemble les gaullistes hostiles à Chaban. Fin 1974, il saute le pas et s'inscrit au groupe des Républicains indépendants après son élection législative partielle.

Peu apprécié des gaullistes depuis cette difficile conversion, Henri Torre n'a pas noué beaucoup de relations chaleureuses au sein de son nouveau parti. En 1977, c'est en vain qu'il tente de ravir la présidence du groupe R.I. à l'Assemblée nationale à Roger Chinaud. Comble d'infortune, les gaullistes s'opposent à sa candidature à la présidence de la commission des finances, et on lui préfère l'apparenté R.I. Pierre Baudis. Henri Torre devra se satisfaire pour le moment du titre d'ancien ministre. Car ce rapatrié du Maroc, qui allie une énorme capacité de travail à une réelle intelligence, est aussi très ambitieux.

Varaut, Jean-Marc

Les droits de l'homme

Grand espoir du barreau dans les années soixante, Jean-Marc Varaut fut très tôt taraudé par le démon de la politique. A vingt ans, c'est le syndicalisme étudiant. A vingt-sept ans, la guerre d'Algérie. Ses convictions en feront même le défenseur de Challe et des « généraux perdus ».

Très proche des milieux giscardiens, il participe aux travaux des clubs Perspectives et Réalités, où il anime la réflexion sur « la défense du citoyen » et « l'informatique et les libertés », qui serviront de base aux propositions de loi de Michel Poniatowski, tendant à créer un « médiateur » et à limiter l'usage des fichiers électroniques.

En 1973, il est candidat aux élections législatives dans le XIIIe arrondissement de Paris. L'année suivante, il participe activement à la campagne présidentielle, puis se voit écarté par certains responsables giscardiens qui ne lui pardonnent pas ses ennuis fiscaux.

Son tempérament d'homme de droite ne l'empêche pas d'être associé professionnellement à l'un des meilleurs amis de François Mitterrand, l'avocat socialiste Roland Dumas. Il fut d'ailleurs le défenseur des journalistes du *Figaro* et de *France-Soir* contre Robert Hersant. Auteur d'un livre récent sur « *la liberté des temps difficiles* », ce passionné des droits de l'homme s'est engagé aux côtés des dissidents soviétiques, se rendant notamment en U.R.S.S., en 1975, à la demande des familles de Pliouchtch et de Boukovski.

Toujours à la recherche d'idées nouvelles et de causes à défendre, ce « battant » de quarante-quatre ans est aussi un grand admirateur de Napoléon.

Verwaerde, Yves

Militant d'abord

Yves Verwaerde a vingt ans, en 1967, lorsqu'il fonde les Jeunes Républicains indépendants dans l'Eure. Animateur efficace des Jeunes Giscardiens en Seine-Saint-Denis (la « banlieue rouge »), il est nommé en 1975 chargé de mission des R.I. pour la Bretagne. Homme du terrain, volontiers gouailleur, d'une franchise à toute épreuve, il n'a pas son pareil pour « tourner » sur le terrain et remonter, lorsque cela est nécessaire, le moral des troupes.

Délégué national adjoint du P.R. à l'organisation, ce militant dans l'âme marche sur les traces de son patron et ami Bernard Lehideux, et de son prédécesseur Roger Chinaud. Il est en passe de devenir l'un de ces apparatchiks indispensables dans tout parti, capables de réciter la France électorale par cœur, canton par canton, commune par commune. Et toujours prêt.

Villetelle, Marguerite

Dans l'ombre du président

Collaboratrice directe de Valéry Giscard d'Estaing depuis une vingtaine d'année, Marguerite Villetelle est aujourd'hui, tout naturellement, la secrétaire particulière du président de la République. Entrée au ministère des Finances en août 1948 elle a travaillé avec quelques illustres personnages (Paul Reynaud, Paul Ramadier, André Boulloche), avant d'être, en 1959, mise à la disposition du nouveau secrétaire d'État aux Finances, qu'elle ne quittera plus.

Chevalier de l'ordre du Mérite, mère de deux enfants, Marguerite Villetelle a quarante-neuf ans. Et, faut-il le préciser, toute la confiance du président.

Voilquin, Albert

Le grognard

Lorsque Raymond Marcellin, Raymond Mondon, Jean de Broglie et Valéry Giscard d'Estaing décident de créer, en 1962, le groupe parlementaire républicain indépendant, il leur faut rassembler au moins trente députés, comme l'impose le règlement de l'Assemblée nationale. Le trentième, qui vient de l'Entente démocratique (un groupe de centre-gauche) s'appelle Albert Voilquin.

Ce député des Vosges, élu et réélu sans interruption de 1958 à 1977 (date à laquelle il entre au Sénat) fut président de la commission de défense et questeur de l'Assemblée nationale. Auparavant, il avait milité au M.R.P. (c'est un ancien séminariste) et au syndicat Force ouvrière.

Solide, chaleureux, truculent, il a notamment séduit, par son franc-parler et son humour, les Jeunes Giscardiens qui l'invitent régulièrement à tous leurs congrès et qui l'appellent « Bébert ». Parlant de Giscard comme s'il l'avait porté sur les fonts baptismaux (il n'a pourtant que soixante-deux ans), il a toujours témoigné à « Valéry » une admiration mêlée d'affection et une fidélité à toute épreuve, exception faite pour le référendum de 1969. Albert Voilquin fait partie des « grognards » du giscardisme : les hommes de troupes qui râlent en permanence, mais qui tiennent bon — souvent mieux que certains généraux.

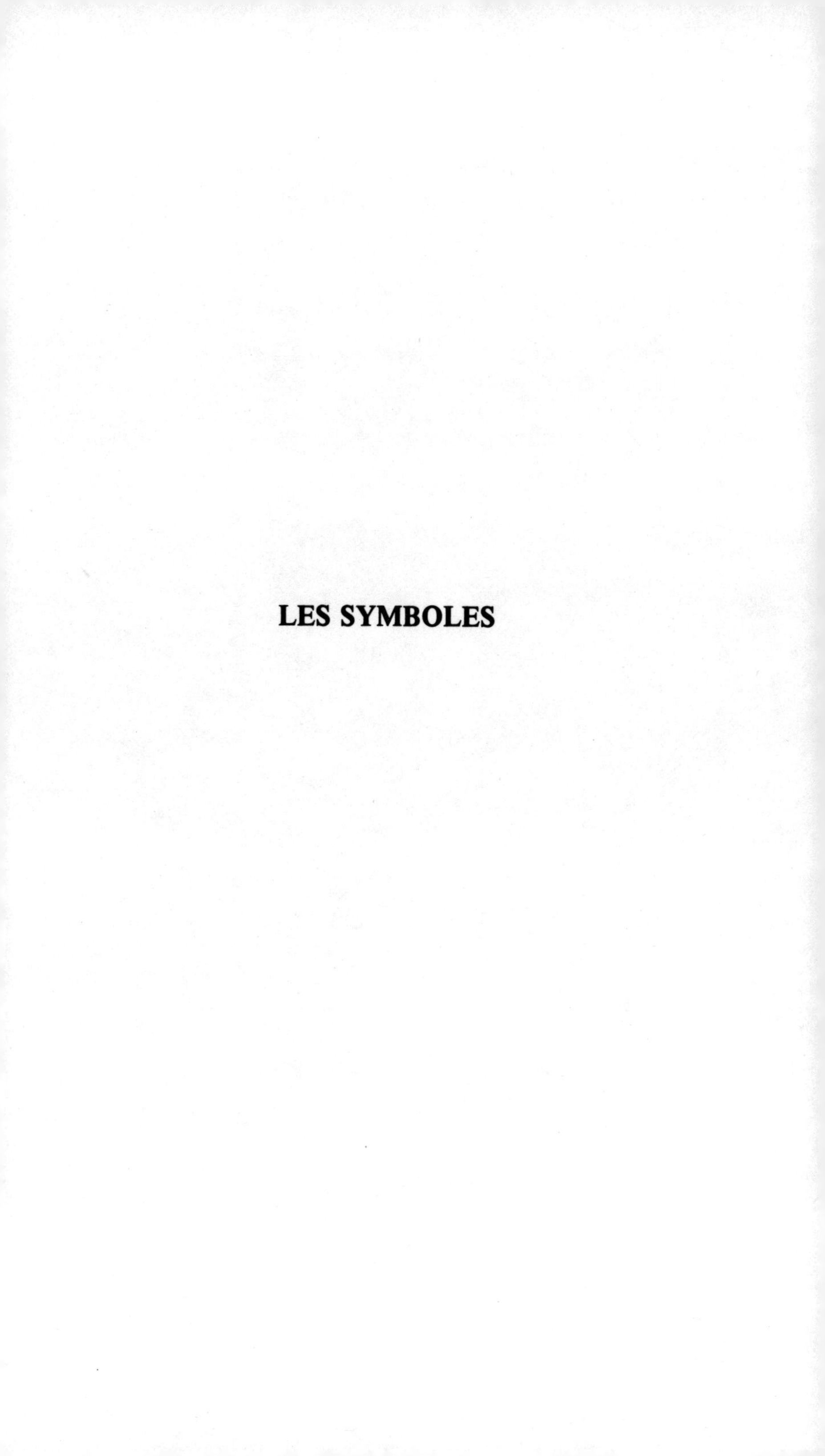

LES SYMBOLES

Les symboles [1]

- les mousquetaires de Giscard (ceux de 1962-1966).
- 1974 les nouveaux giscardiens (ceux de 1974).
- les proches et les conseillers du président.
- membre du gouvernement.
- ancien membre du gouvernement.
- membre ou ancien membre de cabinet ministériel.
- député ou ancien député.
- sénateur ou ancien sénateur.
- maire d'une ville de plus de 10 000 habitants.
- ancien élève de l'École nationale d'administration (E.N.A.).
- syndicaliste ou ancien syndicaliste.
- ancien gaulliste.
- DC ancien démocrate chrétien.
- CNI indépendant ou ancien indépendant
- ancien d'un parti de gauche.
- membre du bureau politique ou du secrétariat national du parti républicain

1. Au 5 janvier 1878.

TABLE

DEUXIÈME PARTIE

GISCARD PAR GISCARD 63

La composition
et l'impression de ce livre ont été effectuées
par l'Imprimerie Aubin à Ligugé
pour les Éditions Albin Michel

AM

Achevé d'imprimer le 9 janvier 1978
N° d'édition 6129. N° d'impression L 10308
Dépôt légal 1er trimestre 1978

Imprimé en France